AGATHA CHRISTIE

OS ELEFANTES NÃO ESQUECEM

Um caso de Hercule Poirot

Tradução
Newton Goldman

Rio de Janeiro, 2024

Elephants Can Remember Copyright © 1972 Agatha Christie Limited. All rights reserved.

AGATHA CHRISTIE, POIROT and the Agatha Christie Signature are registered trade marks of Agatha Christie Limited in the UK and/or elsewhere. All rights reserved.

Direitos de edição da obra em língua portuguesa no Brasil adquiridos pela CASA DOS LIVROS EDITORA LTDA. Todos os direitos reservados. Nenhuma parte desta obra pode ser apropriada e estocada em sistema de banco de dados ou processo similar, em qualquer forma ou meio, seja eletrônico, de fotocópia, gravação etc., sem a permissão do detentor do copirraite.

Este livro não pode ser exportado para Portugal ou outros países de língua portuguesa

Preparação de originais: Gustavo Penha
                        José Grillo
                        Fátima Fadel
Projeto gráfico de miolo: Leandro B. Liporage
Diagramação: Leandro Collage
Projeto gráfico de capa: Maquinaria Studio

CIP-Brasil. Catalogação na fonte
Sindicato Nacional dos Editores de Livros, RJ

C479a

Christie, Agatha, 1890-1976
    Os elefantes não esquecem: um caso de Hercule Poirot / Agatha Christie ; tradução de Newton Goldman. – Rio de Janeiro: HarperCollins Brasil, 2016.

    Tradução de: *Elephants Can Remember*
    ISBN 978.85.9508.600-5

    1. Poirot (Personagem fictício). 2. Ficção policial inglesa. I. Goldman, Newton. II. Título.

CDD: 823
CDU: 821.111-3

Rua da Quitanda, 86, sala 601A – Centro –
20091-005 Rio de Janeiro – RJ – Brasil
Tel.: (21) 3175-1030

Printed in China

*Para Molly Myers
em agradecimento às suas gentilezas.*

Sumário

1 — Como despertar um elefante......... 9

2 — Os elefantes entram em cena......... 20

Livro I
OS ELEFANTES

1 — O *Almanaque do eu sei tudo* 35

2 — Celia 42

3 — Marcas profundas de antigos pecados 49

4 — Recordações de uma velha amiga 58

5 — Volta à infância 66

6 — A sra. Oliver em campo 72

7 — Resultados do safári 80

8 — Desmond 90

Livro II
MARCAS PROFUNDAS

1 — O inspetor Garroway e Hercule Poirot trocam informações 101

2 — Celia conhece Hercule Poirot 104

3 — A sra. Burton-Cox 111

4 — Dr. Willoughby 120

5 — Eugene e Rosentelle:
cabeleireiros e esteticistas 126

6 — O relatório do sr. Goby 131

7 — Poirot anuncia uma viagem 136

8 — Interlúdio 139

9 — Maddy e Zélie 140

10 — O inquérito final 150

Sobre a autora 163

1
Como despertar um elefante

A sra. Oliver olhou-se no espelho, dando antes uma rápida espiada no relógio sobre a prateleira e que, segundo seus cálculos, devia estar pelo menos uns vinte minutos atrasado. Em seguida, voltou a atenção para o seu maior problema: os cabelos. Há anos a sra. Oliver vinha batalhando com diversos penteados: já tinha usado *à la* Pompadour; depois, estilo ventania, isto é, todo puxado para trás, deixando à mostra uma testa inteligente, ou pelo menos aparentemente inteligente; depois, todo cacheado e, anos depois, todo solto. Mas hoje resolveu não perder mais tempo nessas conjeturas, uma vez que iria sair de chapéu, contrariando ao mesmo tempo dois de seus hábitos: não almoçar fora e não usar chapéu.

No alto do armário, existiam quatro caixas de chapéus. Dois deles destinados a casamentos, pois seria inconcebível aparecer num casamento de cabeça descoberta. O primeiro era de plumas, bem justo na nuca, feito para suportar valentemente as intempéries londrinas. O segundo, para casamentos mais suntuosos, de flores e gaze, recoberto por um véu bordado com miosótis. Os dois outros chapéus eram destinados a quase todas as demais ocasiões. Um, chamado por ela de "chapéu de fim de semana no campo", era de feltro, com aba mole e combinava com quase todos os *tailleurs*, vestidos de lã e suéteres de *cashmere* ou *mohair*. O quarto e último chapéu era o mais caro e o mais antigo. A sra. Oliver atribuía a sua durabilidade ao preço excessivo que ele custara na época. Era uma espécie de turbante, com várias faixas de veludo colorido em tom pastel e combinava invariavelmente com qualquer vestido. A sra. Oliver foi invadida pela dúvida.

— Maria — chamou, pedindo ajuda. — Maria, venha cá um instante.

A empregada, que já estava acostumada a dar palpites na toalete da sra. Oliver, entrou.

— A senhora vai usar seu lindo chapéu?

—Vou. Quero sua opinião para saber se fica bem... assim ou assim.

Maria afastou-se para ver melhor.

— Por que a senhora está usando do lado contrário?

— De propósito, ora! Queria ver se fica melhor assim...

— E por quê?

— Sei lá. Para variar um pouco... creio.

— E a senhora acha que ficou melhor?

— Bem, usado ao contrário dará oportunidade às pessoas de verem estes tons de azul e marrom, que são infinitamente mais bonitos que estas faixas de vermelho e chocolate.

A sra. Oliver tirou o chapéu, colocou-o novamente na cabeça, tentou de um lado, depois de outro, sempre sob o olhar de desaprovação de Maria.

— Desse jeito é impossível, Madame. Achata o rosto! Não ficaria bem nem na Sophia Loren!

— É, acho que tem razão... Vou colocá-lo como foi feito para ser usado.

— Além do mais, é sempre mais seguro — comentou Maria.

Ajudada por Maria, a sra. Oliver vestiu um vestido de lã e ajeitou o chapéu no lugar certo.

— A senhora está maravilhosa!

Por isso a sra. Oliver gostava tanto da empregada. Maria era uma pessoa que, à menor provocação, fazia um elogio.

— Nesse almoço a senhora vai ter que fazer algum discurso?

— Eu? — perguntou horrorizada a sra. Oliver. — Claro que não. Você sabe que nunca faço discurso!

— Eu pensei que os homenageados fossem obrigados a falar. A senhora não vai ser uma das homenageadas?

—Vou, mas não vou precisar fazer discurso — respondeu enfática a sra. Oliver. — Outras pessoas, que gostam disso, farão discursos e dirão coisas bem mais interessantes do que eu seria capaz de dizer.

— Não acredito. Se a senhora quisesse, poderia fazer um discurso brilhante...

— Não é verdade. Sei o que posso e o que não posso fazer. Falar em público não é meu forte. Eu ficaria nervosa e certamente começaria a gaguejar e a repetir as mesmas coisas. Eu me sentiria uma idiota! Com a palavra escrita é outra coisa. A gente as escreve ou dita e elas se encaixam e saem maravilhosas...

— Espero que tudo corra bem. Vai ter muita gente?

— Sim — respondeu a sra. Oliver, deprimida —, muita gente!

"E por que", pensou, "vou a esse almoço?" A sra. Oliver pertencia ao tipo de pessoas que gosta de justificar suas ações antes de praticá-las.

— Creio — disse alto para si mesma, uma vez que Maria já se havia retirado para cuidar de uma geleia que tinha deixado no fogo — que estou curiosa para ver o que acontece. Sempre que sou convidada para esses almoços, nunca tenho coragem de ir...

A sra. Oliver estava na sobremesa, suspirando de satisfação, enquanto saboreava o merengue da torta de limão. Ela adorava merengues, principalmente depois de um almoço tão maravilhoso. Contudo, quando se chega a uma certa idade, deve-se ter cuidado com merengue — por causa dos dentes. Os dentes da sra. Oliver pareciam bons: tinham a vantagem de não doer, eram brancos e de excelente aspecto — mas não eram verdadeiros. E para a sra. Oliver dentes postiços não constituíam material de primeira qualidade. Os cães têm dentes de marfim; ao passo que os dos seres humanos são de osso! E os seus, que ainda por cima eram de plástico!... De qualquer forma, todo cuidado era pouco para evitar um vexame público! Nada de alfaces escorregadias, castanhas, bombas de chocolate crocantes, balas puxa-puxas e merengues pegajosos, isto é, alimentos considerados perigosos pela sra. Oliver. Portanto, foi com enorme satisfação que ela deu a última garfada na deliciosa sobremesa.

A sra. Oliver sempre fora uma epicurista, e, especialmente depois de uma excelente refeição, seu bom humor e disposição redobravam, encarando a vida com amor e simpatia. Como o almoço era uma homenagem para alguns escritores famosos, os editores convidaram críticos, poetas e interessados em literatura. A sra. Oliver foi colocada entre Edwyn Aubyn e Sir Wesley Kent. O primeiro, cuja poesia a sra. Oliver admirava muito, era um homem divertidíssimo, muito viajado e grande gastrônomo, de maneira que a conversa versou sobre comida e restaurantes e não, felizmente, sobre literatura. Sir Kent, um homem muito simpático, elogiou os livros da sra. Oliver com tato e finura suficientes, de maneira que ela não se sentiu constrangida ou intimidada. Mencionou duas ou três razões (que eram as certas) por que gostava dos livros dela, o que fez a sra. Oliver concluir que os homens sabiam elogiar, enquanto as mulheres, querendo ser agradáveis, diziam coisas que a embaraçavam terrivelmente! É verdade que nem só as mulheres eram incômodas. Alguns moços nervosos, às vezes, escreviam cartas que a deixavam envergonhada! Lembrou-se de uma que havia recebido na semana anterior: "Lendo seu livro soube que a senhora deve ser uma grande dama!" Que significaria este comentário, após a leitura do *Crime do peixe dourado*?

Na realidade, a sra. Oliver não era modesta, nem humilde. Achava simplesmente que suas novelas policiais eram bem-urdidas e (no gênero) bem-escritas. Algumas eram melhores que outras, porém seria demais concluir delas que a autora era uma grande dama. Simplesmente tinham uma grande aceitação pública.

Até aquela altura do almoço, a sra. Oliver achou que tudo corria muito bem. Chegara o momento de servir o café, na sala ao lado, para que os convidados tivessem oportunidade de conversar com outras pessoas. Ela sabia que este era o momento perigoso, pois fatalmente seria atacada pelos fãs. Atacada frontalmente pela torrente de elogios que não saberia como agradecer, nem responder. Exemplo: "Preciso lhe dizer quanto aprecio seus livros e que pessoa maravilhosa a senhora deve ser." Resposta (da autora, encabulada): "Muito obrigada!" Continuação do ataque: "Há meses quero conhecê-la!" Resposta: "Ora, muito obrigada!" E assim por diante. Como se ninguém tivesse coragem de inventar uma outra frase, ou como se a autora fosse incapaz de pensar em outra coisa que não fosse nos seus livros! A sra. Oliver invejava os autores que sabiam responder a esses elogios, mas infelizmente não era o seu caso. Uma amiga estrangeira, em casa de quem se hospedara, definiu com mestria a situação.

— Ouço você falar — disse Albertina, com seu delicado sotaque estrangeiro —, como falou há pouco com o repórter, e vejo que você não se orgulha do seu trabalho. Você devia responder: "Sim, escrevo maravilhosamente, melhor do que qualquer escritor de histórias policiais!"

— Mas não é verdade! — exclamou a sra. Oliver. — Sei que não sou péssima, mas...

— Mas você não precisa negar. Deve dizer que se acha a melhor!

— Gostaria, Albertina, que você recebesse os repórteres em meu lugar. Você sabe sempre o que dizer. Um dia você poderia fazer meu papel, e eu ficaria atrás da porta ouvindo.

— Por que não? Seria divertido. Pena que seu rosto seja muito conhecido, senão daria certo. Em todo caso, a chave para o problema é você se convencer de que é a melhor escritora policial e sair dizendo isso para quem quiser ouvir. Acho horrível assistir a uma entrevista sua, em que você passa o tempo todo se desculpando por ser famosa e aceita. Não é possível!

No fundo, pensou a sra. Oliver, era como se ela fosse uma atriz principiante querendo se ambientar no palco sem a ajuda de um diretor.

No almoço, porém, até então, não haviam surgido grandes problemas. A sra. Oliver viu de soslaio umas duas senhoras querendo se aproximar dela. Como estava de muito bom humor, pensou: "Não tem importância. Respondo a duas ou três perguntas com a mesma facilidade com que abro um estojo de joias e sigo em frente." Seus olhos se voltaram para os outros convidados, para ver se encontrava um rosto conhecido. Sim, lá estava Maurine Grant, uma mulher tão engraçada e interessante! A um sinal, todos se levantaram e se dirigiram para a saleta de café, ocupando os sofás e as poltronas. O momento perigoso, pensou a sra. Oliver com seus botões, quando seria abordada por um estranho que a conhecia perfeitamente ou por um conhecido que ela preferiria que fosse um estranho! A primeira possibilidade se materializou na figura de uma enorme e dentuça senhora, uma mulher que os franceses chamariam "*une femme formidable*", com todos os defeitos inerentes ao adjetivo. Se ainda não conhecia aquela senhora, aquele seria o momento fatal.

— Sra. Oliver! — gritou a criatura estridentemente. — Que prazer vê-la aqui! Sempre quis conhecê-la, pois sou fanática por seus livros. Meu falecido marido nunca viajava sem levar pelo menos dois livros seus... Venha sentar-se aqui, pois tenho milhões de coisas para lhe perguntar.

"Já que tem que ser, é melhor acontecer logo", pensou a sra. Oliver resignadamente, enquanto se deixava arrastar até um sofá, onde o dragão se abancou com uma xícara de café.

— Acomode-se bem para termos uma longa conversa — ameaçou a agressora. — A senhora ainda não sabe meu nome: sou a sra. Burton-Cox.

— Pois não! — exclamou baixinho a sra. Oliver, envergonhada. Quem seria afinal de contas esta sra. Burton-Cox? Uma escritora? Não, pois com um nome desses a sra. Oliver se lembraria dela. Quem sabe então uma ensaísta política, dessas intelectuais azedas cheias de preconceitos políticos? Ao aventar a segunda hipótese, a sra. Oliver suspirou aliviada, porque, se fosse o caso, ela se limitaria a ouvir e murmurar de vez em quando: "Que interessante!"

— A senhora vai se espantar com o que eu vou dizer — iniciou a sra. Burton-Cox —, mas eu sinto, lendo os seus livros, que é uma mulher muito compreensiva e uma grande conhecedora da alma humana. Por isso, se existe uma pessoa que pode me dar uma resposta para o que eu desejo saber, esta pessoa é a senhora!

— Eu? Ora, minha senhora... — balbuciou a sra. Oliver timidamente, querendo se esquivar da tremenda responsabilidade que a interlocutora estava tentando lhe atirar às mãos.

A sra. Burton-Cox mergulhou um cubo de açúcar no café e mordeu-o carnivoramente, como se fosse um pedaço de osso. "Dentes de marfim", pensou a sra. Oliver, "como dos cachorros, dos elefantes ou dos hipopótamos?"

— A senhora tem uma afilhada chamada Celia Ravenscroft? — perguntou a sra. Burton-Cox.

— Tenho — respondeu a sra. Oliver, agradavelmente surpresa. Uma afilhada não poderia ser um assunto muito difícil de tratar, ainda mais para ela, que possuía tantos afilhados que, com o passar dos anos, já havia esquecido o nome de alguns deles. Como madrinha, a sra. Oliver tinha sido exemplar e cumpridora de seus deveres: presentear os afilhados no Natal e nos aniversários, visitá-los ou ser visitada por eles ocasionalmente enquanto estavam em fase de crescimento e, finalmente, quando atingiam a maioridade, presenteá-los com uma razoável soma em dinheiro, que podia ser empregada para os estudos ou para o casamento. Depois disso, os afilhados seguiam seu caminho: casando, indo morar em outro país, enfim, desaparecendo aos poucos no turbilhão da vida. Se por acaso reapareciam, era necessário fazer um esforço para lembrar de quem eram filhos ou filhas e por que seus pais a escolheram como madrinha.

— Celia Ravenscroft... — repetiu a sra. Oliver, fingindo lembrar-se. — Claro, claro...

O problema é que a sra. Oliver se lembrava do batizado de Celia, do presente de batismo (um coador de prata Queen Anne), de grande utilidade na infância e de grande valia na maioridade, caso a afilhada, um dia, se encontrasse em situação financeira difícil. A sra. Oliver se lembrava muito bem do coador Queen Anne, mas, infelizmente, não se lembrava bem da afilhada.

— Eu não vejo Celia há anos!

— É natural! Uma garota tão impulsiva, sempre mudando de ideia! Muito inteligente. Fez um curso universitário brilhante, mas politicamente, bem, politicamente todos os estudantes são radicais hoje em dia — concluiu a sra. Burton-Cox.

— Eu não entendo nada de política! — sentenciou a sra. Oliver, que tinha horror ao assunto.

— Vou confiar na senhora, pois sei que é muito boa e generosa.

"Será que ela vai me pedir dinheiro?", pensou a sra. Oliver.

— É um assunto de suma importância para mim. Preciso saber a verdade. Celia vai, ou penso que vai, casar com meu filho Desmond.

— É mesmo?

— É o que pretendem no momento. O que quero saber é bastante difícil de perguntar e não posso recorrer a ninguém, a não ser à senhora, que para mim é como se fosse uma amiga íntima.

"Infelizmente", pensou a sra. Oliver, começando a ficar inquieta. Será que Celia tinha um filho ilegítimo, e a sra. Burton-Cox esperava maiores informações sobre o assunto? Que situação! Por outro lado, como a sra. Oliver não via Celia havia uns cinco ou seis anos, a melhor saída seria responder que não sabia de nada.

A sra. Burton-Cox inclinou-se para a frente e respirou fundo.

— Quero saber, pois tenho certeza de que a senhora sabe, ou pelo menos tem alguma informação a respeito, se a mãe dela matou o pai ou se foi o pai quem matou a mãe.

Por esta a sra. Oliver não esperava! Olhou para a sra. Burton-Cox sem saber o que dizer.

— Mas... eu... não... Por quê?

— A senhora deve saber, minha cara... Sei que é uma história antiga, de uns dez ou 12 anos atrás, mas que foi muito comentada na época. Tenho certeza de que se lembra.

Uma torrente de pensamentos invadiu a sra. Oliver. "Era verdade! A mãe de Celia... Molly Preston Grey, amiga de infância da sra. Oliver, que tinha se casado com um militar chamado... chamado... Sir Alguma Coisa Ravenscroft... Ou será que ele era diplomata? Será que ela havia sido *demoiselle d'honneur* no casamento de Molly?" Tinha sido um casamento fantástico, disso ela tinha certeza, mas os detalhes estavam nublados pelo esquecimento. "Depois do casamento, os noivos viajaram para a Índia, ou para a Pérsia,[1] ou Iraque, ou Egito. Ou será que foi para a Malásia?" De vez em quando vinham à Inglaterra e se encontravam, mas com o tempo o casal tornou-se para a sra. Oliver como um desses retratos antigos e amarelados em que a gente reconhece vagamente as pessoas, mas não sabe precisar exatamente quem são. Ela não se lembrava se Sir Alguma Coisa Ravenscroft e a mulher Molly tinham sido muito amigos dela... Provavelmente não.

A sra. Burton-Cox continuava a olhar fixamente para a sra. Oliver, ligeiramente desapontada com a falta de *savoir-faire* da escritora, que insistia em não lembrar uma *cause célèbre*.

— Matou? Um acidente, talvez?

— Não, não foi um acidente. Ocorreu numa casa de praia na Cornualha, creio. Perto das rochas. Eles foram encontrados mortos a tiros num rochedo. A polícia não conseguiu descobrir se a mulher matou o marido e depois se suicidou ou se foi ao contrário. Nem com o exame dos corpos ou de balística conseguiram chegar a uma conclusão. Pensam que foi um pacto de morte... sei lá. Resultado: não me lembro qual foi o veredicto da polícia. Algum aborrecimento profundo ou coisa parecida! Só sabemos que foi proposital, mas ninguém sabe por quê.

— E talvez nunca saibamos — aventurou a sra. Oliver, esperançosa.

— Talvez. Só sei que, na época, comentaram as brigas do casal em razão de um possível namorado ou amante dela. Claro que se aventou a hipótese de ele ter uma amante... O caso é que nada ficou esclarecido e foi finalmente

---

[1] Atual Irã. (N.E.)

abafado, devido à alta patente do general Ravenscroft. Disseram também que ele já estava muito doente e que não era mais responsável por seus atos.

— Sinto muito — sentenciou firmemente a sra. Oliver —, mas não posso ajudá-la. Lembro-me do caso, dos nomes, das pessoas, mas nunca soube o que aconteceu realmente.

A sra. Oliver ficou tentada a acrescentar que até a impertinência deveria ter um limite na fronteira da educação.

— Mas eu preciso saber a verdade — insistiu a sra. Burton-Cox, encarando a escritora com seus olhos de bola de gude. — Preciso, porque meu filho quer se casar com Celia.

— Infelizmente não posso ajudá-la.

— Mas tenho certeza de que a senhora sabe! Logo a senhora, que escreve histórias tão maravilhosas sobre crimes fantásticos... Tenho certeza de que as pessoas lhe contam coisas que não dizem nem à polícia.

— Não sei de nada — retrucou a sra. Oliver, perdendo aos poucos a paciência.

— A senhora entende meu problema? — investiu novamente a sra. Burton-Cox. — Não posso ir à polícia perguntar sobre um crime que ela própria abafou... Preciso saber a verdade por outros meios!

— Minha função é escrever livros — disse a sra. Oliver, friamente. — Trabalhos de ficção. Não sei nada sobre crimes ou criminologia, de maneira que não posso ajudá-la.

— Mas pode perguntar à sua afilhada Celia!

— Perguntar à Celia? Impossível. Na época da tragédia ela devia ser uma criança.

— Mas devia saber certas coisas. As crianças sabem de tudo, e para a senhora ela contaria...

— Nesse caso, por que a senhora não lhe pergunta diretamente?

— Não é possível — respondeu a sra. Burton-Cox. — Desmond não gostaria e poderia se voltar contra mim. Não, eu não posso perguntar. Mas a senhora pode.

— Infelizmente não posso perguntar uma coisa dessas — disse a sra. Oliver, olhando para o relógio. — Ora vejam! Quanto tempo demoramos neste delicioso almoço! Preciso ir andando, pois tenho um encontro. Até logo, senhora... Bedley-Cox. Sinto muito não poder ajudá-la, mas esses assuntos são muito delicados, e, afinal de contas, que diferença faz para a senhora se foi o marido que matou a mulher ou vice-versa?

— Para mim faz muita diferença!

Neste momento, passou uma escritora conhecida da sra. Oliver.

— Louise, querida! — gritou a sra. Oliver, agarrando-a pelo braço. — Não sabia que você estava aqui!

— Ariadne, quanto tempo! Como você emagreceu!

— Sempre gentil — disse a sra. Oliver, dando o braço para a amiga e afastando-se para o outro lado da sala. — Tenho que sair correndo, pois tenho um encontro.

— Aquele dragão monopolizou-a, não é? — disse a amiga, indicando a sra. Burton-Cox.

— Fazendo-me as perguntas mais incríveis!

— Você não sabia o que responder?

— Não, além do mais não eram da minha conta, e, ainda que fossem, eu não poderia responder a elas.

— Sobre o que eram as perguntas?

— Sobre um assunto interessante — respondeu vagarosamente a sra. Oliver, deixando sua imaginação voar à vontade. — Creio mesmo que seriam interessantes...

— Ela está se levantando para agarrá-la novamente. Venha, vou lhe dar uma carona, caso você esteja sem carro...

— Nunca venho a Londres de carro — informou a sra. Oliver. — A gente nunca tem onde estacionar!

— É verdade.

A sra. Oliver despediu-se dos promotores do almoço efusivamente e, em seguida, saiu com sua amiga.

— Quer ir para casa? — perguntou a dona do carro.

— Não, vou até Whitefriars Mansions. Não me lembro bem a rua, mas sei ir lá...

— Aquele conjunto de apartamentos modernos?

— Isso mesmo — concordou a sra. Oliver.

2
Os elefantes entram em cena

Não encontrando seu amigo Hercule Poirot em casa, a sra. Oliver teve que recorrer, mais tarde, ao telefone.

— Por acaso você vai ficar em casa hoje à noite? — perguntou ela, tamborilando nervosamente os dedos sobre a mesinha do telefone.

— Será que estou falando com...

— Ariadne Oliver — interrompeu surpresa a sra. Oliver, que achava estranho ter que se identificar pelo telefone, pois esperava que seus amigos reconhecessem imediatamente a sua voz.

— Sim, estarei em casa hoje à noite. Terei, então, o prazer da sua visita?

— Muito gentil da sua parte — disse a sra. Oliver —, só não sei se será um prazer...

— É sempre um prazer recebê-la, *chère* Madame.

— Será? Bem, eu vou aborrecê-lo com umas perguntas. Preciso também saber sua opinião sobre um assunto.

— Estou sempre pronto a opinar sobre qualquer assunto — interveio Poirot.

— Surgiu uma complicação meio aborrecedora, e eu não sei o que fazer.

— Por isso virá me visitar — concluiu Poirot, sorrindo. — Estou encantado!

— Que horas seria melhor para você?

— Às nove? Tomaremos café ou, se preferir, um refresco ou *sirop de cassis*... Ah, não! Você não gosta disso. Bem... até logo.

— George — disse Poirot para o mordomo —, vamos ter o prazer de receber hoje à noite a visita da sra. Oliver. Serviremos café e talvez um licor; se bem que não lembre de qual licor ela gosta...

— Às vezes ela toma *kirsch*.

— Ou *crème de menthe*. Mas acho que ela prefere *kirsch*. Está bem — concluiu Poirot —, serviremos *kirsch*.

A sra. Oliver chegou pontualmente às nove. Durante o jantar, Poirot se perguntou qual seria a razão da visita e das dúvidas da sra. Oliver. Seria um problema difícil ou a comunicação de um assassinato? Como Poirot conhecia bem a sra. Oliver, sabia que poderia esperar qualquer coisa, desde a mais corriqueira até a mais extraordinária. Fosse o que fosse, Poirot não estava preocupado pois sabia, e sempre soubera, lidar com a sra. Oliver. Às vezes ela o irritava, mas como gostava muito dela continuavam amigos. Juntos tinham vivido muitas experiências. Poirot lembrou-se de ter lido algo sobre ela no jornal, mas não sabia bem o quê; assim que a campainha tocou, veio-lhe à mente a nota do jornal sobre o almoço.

Quando ela entrou, Poirot percebeu que estava preocupada. A sra. Oliver estava despenteada, pois passara o dia passando os dedos nos cabelos, um hábito a que recorria sempre que tinha alguma preocupação. Poirot recebeu-a efusivamente, acomodou-a na melhor poltrona, serviu-lhe café e um cálice de *kirsch*.

— Ah! — suspirou a sra. Oliver, aliviada. — Espero que não me chame de louca.

— Vi hoje no jornal que você foi uma das homenageadas do almoço para escritores famosos, ou coisa parecida. Pensei que não frequentasse esses lugares!

— Não frequento — retrucou a sra. Oliver —, e certamente nunca mais frequentarei.

— Foi atacada pelos fãs?

Poirot conhecia as dificuldades da sra. Oliver e o horror que ela sentia quando elogiavam demais os seus livros.

— Com que então não se divertiu? — perguntou Poirot.

— Até um certo ponto foi muito agradável — respondeu a sra. Oliver. — Depois aconteceu uma coisa muito desagradável.

— Por isso veio me visitar?

— É verdade. Se bem que eu não saiba explicar por quê! É um assunto que não tem relação alguma com você e talvez nem venha a lhe interessar. Gostaria, porém, de saber como você agiria se estivesse na minha situação.

— É difícil saber. Sei como Hercule Poirot se comportaria em qualquer situação, mas não posso imaginar como Ariadne Oliver se comportaria, embora eu a conheça bem.

— Mas uma ideia pelo menos você pode ter — insistiu a sra. Oliver —, afinal nos conhecemos há anos...

— Uns... vinte anos, talvez?

— Não sei. Não sei calcular datas nem anos, fico atrapalhada. Lembro-me de 1939, porque foi o ano em que começou a guerra e outras duas ou três datas por motivos bastante absurdos.

— Bem, você compareceu ao tal almoço e não se divertiu.

— O almoço estava divino — interrompeu a sra. Oliver. — Foi depois...

— Quando os fãs começaram a falar com você — interveio Poirot com a mesma entonação que um médico emprega para sondar os sintomas de um paciente.

— Bem, iam começar a falar comigo quando uma dessas mulheres enormes e mandonas me agarrou. Senti-me como uma borboleta presa na rede. Só sei que fui empurrada para um sofá e interrogada sobre uma afilhada.

— Uma afilhada querida?

— Não vejo a menina há anos. Impossível ver todos os meus afilhados... são tantos! Aí a criatura me fez uma pergunta perturbadora... queria... queria... sei lá... é tão difícil dizer!

— Não é, não — disse Poirot, bondosamente —, na verdade é fácil. Todo mundo me conta coisas com a maior facilidade; atribuo isso ao fato de ser estrangeiro. Creio que facilita as confissões...

— Na verdade é fácil confiar em você — concordou a sra. Oliver. — Pois bem, ela queria saber sobre os pais da menina. Queria saber se o pai havia assassinado a mãe ou se a mãe havia assassinado o pai!

— Como?!

— Parece incrível, não é? Na hora, eu pensei que estivesse ouvindo vozes.

— Se a mãe da sua afilhada matou o marido ou se foi o marido quem matou a esposa?

— Isso mesmo — disse a sra. Oliver, triunfante.

— Mas... isso aconteceu realmente? O pai matou a mãe ou a mãe matou o pai?

— Bem, ambos foram encontrados mortos, a tiros, num rochedo. Não me lembro se foi na Cornualha ou na Córsega. Foi um lugar assim...

— Então a mulher se baseou em fatos reais para indagar sobre certos detalhes?

— É evidente! Foi uma história que aconteceu há anos. O que me intriga é por que ela vem perguntar a mim.

— Porque você escreve romances policiais — sorriu Poirot. — Ela certamente deve ter dito que você é uma especialista em assassinatos! Então esse crime realmente aconteceu?

— Aconteceu. Ela não veio com uma pergunta sobre o que deveria fazer se uma mãe qualquer assassinasse um pai ou vice-versa. Não, ela me trouxe um fato palpável. Vou tentar explicar melhor, se bem que não me lembre de todos os detalhes. Aconteceu há uns 12 anos, e me lembro porque conhecia bem as pessoas envolvidas. Uma das vítimas, a mulher, tinha sido minha colega de colégio e éramos amigas. Na época do assassinato, falou-se muito sobre o assunto; não se abria um jornal que não tivesse um relato detalhado do caso. O casal, Sir Alistair Ravenscroft e Lady Ravenscroft, parecia muito feliz. Ele era general ou coronel e viviam viajando, até que compraram uma casa... não sei bem onde, mas acho que era no exterior. Foi aí que se deu o crime, embora na época corressem boatos de que eles tinham sido assassinados. Depois surgiu a hipótese do pacto de morte, sendo que nunca esclareceram qual dos cônjuges matou o outro. O revólver era do dono da casa e... bom, vou tentar explicar melhor.

A sra. Oliver conseguiu dar a Poirot um resumo sobre o crime. Este a interrompia de vez em quando, para pedir maiores detalhes.

— Mas a troco de quê — perguntou Poirot — aquela senhora queria tanto esclarecer essa velha história?

— Isto é o que eu quero saber — respondeu a sra. Oliver. — É claro que posso entrar em contato com Celia. Acho que ela mora em Londres ou Cambridge, ou talvez em Oxford, pois tenho a impressão de que ela é formada e dá aulas num desses lugares. Sei que é muito avançada, do tipo que usa cabelos compridos e roupas curtas, mas não creio que use tóxicos ou algo assim. De vez em quando tenho notícias dela; no Natal ela me manda sempre um cartão. Para ser franca, não penso diariamente em todos os meus afilhados, principalmente se já são adultos como ela...

— A moça não é casada?

— Não, mas creio que pretende casar com o filho desta tal de... como é mesmo o nome dela? Sra. Brittle... não... Burton-Cox.

— E a sra. Burton-Cox não quer que o filho case com essa moça porque o pai dela matou a mãe ou vice-versa?

— Creio que sim! — respondeu, surpresa, a sra. Oliver. — Só pode ser por isso! Mas não vejo qual a importância em precisar quem matou quem...

— Aí está o ponto crucial da questão — interveio Poirot. — É o *x* do problema. Lembro-me vagamente desse crime; ou pode ser de um bem parecido, sei lá! O que estranho é a curiosidade da sra. Burton-Cox. Será que é maluca ou gosta realmente do filho?

— Minha impressão é de que ela é contra esse casamento.

— Acreditando talvez que a moça tenha herdado uma predisposição congênita para assassinar o marido, ou coisa parecida?

— Como é que eu vou saber? Só sei que ela está convencida de que tenho a chave do mistério. Pensando bem, a sra. Burton-Cox não me disse muita coisa... Para ser franca, o que me intriga é o porquê da pergunta dela!

— Seria interessante investigarmos — disse Poirot.

— Por isso vim falar com você. Sei que adora mistérios, coisas aparentemente ilógicas, que à primeira vista parecem totalmente inexplicáveis.

— Será que a sra. Burton-Cox tem alguma preferência? — perguntou Poirot.

— Será que ela gostaria que o marido tivesse sido o assassino e não a mulher? Não creio.

— Bem, compreendo seu dilema, *chère* Ariadne. Você vai a uma festa e lhe fazem uma pergunta difícil, quase impossível de responder, e agora não sabe o que fazer.

— Pois bem, o que devo fazer?

— Não é fácil responder — disse Poirot. — Não sou uma mulher desconhecida que você nunca viu antes e que o aborda com uma pergunta estapafúrdia.

— Exatamente — concordou a sra. Oliver. — O que Ariadne deve fazer nessa situação? Imagine se o problema aparecesse num jornal: qual seria a sua resposta?

— Creio que existem três saídas: a primeira seria escrever um bilhete à sra. Burton-Cox dizendo: "Sinto muito, mas não posso ajudá-la", ou coisa parecida. A segunda seria entrar em contato com a afilhada e contar o que a mãe do namorado deseja saber sobre os pais dela; com isso, saberá também se a moça está interessada no rapaz e se ele tem alguma ideia do porquê da curiosidade da mãe sobre o crime. Por outro lado, você ficará sabendo qual a opinião da moça sobre a futura sogra. A terceira saída, que é realmente o que acho que você deve fazer, é...

— Já sei — interrompeu a sra. Oliver —, resume-se em três palavras: Não faria nada.

— Sei que seria a solução mais simples e lógica. Acho uma impertinência abordar uma afilhada, contando o que a futura sogra anda perguntando pelas festas. Porém...

— Eu sei — interrompeu Poirot —, existe a curiosidade humana.

— Quero saber por que aquela senhora me fez tal pergunta. Quando encontrar a resposta, ficarei sossegada.

— Enquanto isso, não terá um momento de descanso. Vai passar as noites em claro e, se me lembro bem, terá uma ou duas ideias extravagantes e extraordinárias, que mais tarde usará num livro policial.

— Pode ser — concordou a sra. Oliver, piscando os olhos.

— É melhor não se meter nessa história — aconselhou Poirot. — Não vai ser fácil desvendar esse mistério e, além do mais, não vejo razão para nos envolvermos.

— Gostaria de ter um argumento contundente que me provasse que não existe uma boa razão...

— A curiosidade humana é fantástica — disse Poirot, suspirando. — A ela devemos tantas coisas! Curiosidade. Não sei quem a inventou, mas dizem que ela está associada aos gatos. Lembra-se do ditado "A curiosidade matou o gato"? Contudo, creio que foram os gregos os inventores da curiosidade, porque eles tinham sede de saber. Antes deles os outros povos se limitavam a conhecer as leis que regiam o país em que viviam para não serem castigados. Obedeciam ou desobedeciam à lei, mas não queriam saber *por quê*. Do momento em que as pessoas começaram a perguntar *por quê*, veja o que aconteceu: barcos, trens, aviões, bombas atômicas, penicilina e a cura para várias doenças. Um garoto observou a tampa da chaleira levantando-se por causa do calor e deu-se o aparecimento da locomotiva a vapor; daí para as greves dos ferroviários foi um passo...

— Seja sincero comigo, Poirot, você acha que eu sou uma mulher abelhuda?

— Não, mas é uma mulher curiosa. Entendo perfeitamente seu problema! Vai a um almoço e, preocupada em se defender de uma torrente de fãs elogiosos ou superamáveis, cai numa armadilha pior, preparada por uma mulher desagradável.

— Isso é verdade! — concordou a sra. Oliver, pensando na sra. Burton-Cox.

— Um crime antigo com um casal que aparentemente se dava bem. A verdade é que nunca se descobriu a causa real do crime, não é?

— Não. Só sabemos que morreram assassinados, a tiros, e que a polícia supôs que se tratasse de um pacto de morte.

Claro que hoje em dia seria dificílimo descobrirmos os motivos da tragédia.

— Não creio que seja tão difícil assim — discordou Poirot.

—Você seria capaz de descobrir alguma coisa, ajudado por seus fascinantes amigos?

— Eu não os qualificaria de fascinantes — discordou Poirot. — Diria que são curiosos, possuidores de arquivos ou capazes de ter acesso a certos documentos confidenciais.

—Você poderia descobrir alguma coisa que viesse a me esclarecer — disse a sra. Oliver, esperançosa.

— Creio que poderia, pelo menos, esclarecer melhor os fatos, embora isso possa levar um certo tempo.

— Enquanto isso, eu falo com a moça e descubro se ela sabe de algo; se quer que eu faça alguma grosseria com a futura sogra, enfim, se posso ajudá-la. Gostaria também de conhecer o noivo.

— Ótimo.

— Posso também — continuou a sra. Oliver — falar com umas pessoas...

— Não creio que a solução esteja aí — disse Poirot. — Esse crime ocorreu há anos, foi uma *cause célèbre*. Mas o que é realmente uma *cause célèbre*? A não ser que tivessem chegado a um *dénouement* estarrecedor, o que não aconteceu. Minha opinião é que ninguém se lembra mais da história.

— Pode ser — concordou a sra. Oliver. — Na época aparecia diariamente em todos os jornais e de repente esgotou-se o assunto; isso, aliás, acontece frequentemente. Lembra-se do caso daquela moça que desapareceu de casa e foi encontrada, seis anos depois, por um menino que estava brincando num monte de areia?

— Lembro-me — disse Poirot. — Pois a verdade é que foi preciso fazer a autópsia e investigar o que havia acontecido no dia do desaparecimento para conseguirem chegar ao assassino. No nosso caso será mais difícil, pois temos duas possibilidades: ou o marido odiava a mulher e queria se ver livre dela, ou a mulher odiava o marido e tinha um amante. Portanto, pode se tratar de um caso passional. De qualquer maneira, não havia nada para se descobrir, uma vez que a polícia não chegou a conclusão alguma. O caso se tornou mais um mistério e posteriormente foi arquivado.

— Posso procurar a moça. Talvez seja isto que aquela mulher deseje, pois acha que Celia sabe ou deve saber de alguma coisa. As crianças, segundo a sra. Burton-Cox, sabem coisas fantásticas!

— Que idade teria sua afilhada na época do crime?

— Não tenho certeza, mas creio que uns nove ou dez anos... Talvez um pouco mais. Na época, acho que estava no colégio interno. Mas pode ser que eu esteja conjeturando e confundindo as notícias que li sobre o caso nos jornais.

—Você acha que o desejo da sra. Burton-Cox era fazer com que você obtivesse informações sobre o crime por meio da própria filha? Posso apostar que, quando a sra. Burton-Cox tentou indagar alguma coisa de Celia, esta lhe deu um fora, obrigando a mulher a recorrer a você que, além de madrinha, é uma famosa conhecedora de crimes. Mas isso não explica a estranha curiosidade da mulher... Em relação às pessoas a que você pretende recorrer, não tenha ilusões: quantas serão capazes de se lembrar de alguma coisa útil?

— Não concordo com você.

— Você me surpreende — exclamou Poirot, olhando para a sra. Oliver. — Você acha que as pessoas têm boa memória?

— As pessoas eu não sei — respondeu a sra. Oliver. — Para dizer a verdade, eu não estava pensando em pessoas, e sim em elefantes.

— Elefantes? — repetiu Poirot, achando, como sempre achava, extraordinária a imaginação da sra. Oliver. — Por que elefantes?

— No almoço eu pensei em elefantes — explicou a sra. Oliver.

— E por quê? — perguntou Poirot, curioso.

— Por causa dos dentes, ora! Por exemplo: quando se quer comer algo, mas se tem dentes postiços, advém o medo. Com o tempo, a gente aprende o que pode e o que não pode comer!

— Ah! — murmurou Poirot, aliviado. — É verdade. Os dentistas são capazes de fazer maravilhas, mas não são milagrosos.

— Exatamente! Por isso pensei nos dentes humanos, que são de osso, logo bastante fracos, e imaginei que bom seria se eu fosse um cachorro, que tem dentes de marfim. Pensei também nos hipopótamos e nos elefantes. Aliás, quando alguém pensa em marfim, a primeira coisa que vem à cabeça é o elefante, não é? Principalmente aquelas enormes presas de marfim.

— É bem verdade — disse Poirot, ainda sem entender aonde a sra. Oliver pretendia chegar.

— Por isso pensei que, nesse caso específico, eu deveria procurar as pessoas que parecem com os elefantes. Não existe uma lenda sobre a memória dos elefantes?

— Existe.

— Lembra uma história sobre um alfaiate indiano que enfiou uma agulha ou coisa parecida na presa de um elefante? Aliás, não foi na presa, e sim na tromba! Pois bem, anos depois, quando o elefante viu o alfaiate, encheu a tromba d'água e despejou sobre o homem. Isto prova que o animal não tinha esquecido. É minha tese: os elefantes não esquecem. Portanto, tenho que entrar em contato com alguns elefantes.

— Não sei se entendo bem o que quer dizer — interveio Poirot. — Quem você classificaria de elefante? Do jeito que está falando, parece que vai buscar informações no jardim zoológico!

— Não é bem assim. — A sra. Oliver sorriu. — Não os animais, mas as pessoas que se parecem com os elefantes.

Pois estas pessoas existem! E têm memória! Com um pequeno esforço a gente é capaz de lembrar das coisas mais incríveis. Eu, por exemplo, me lembro de quando fiz cinco anos, por causa de um bolo cor-de-rosa. Aliás, era um bolo maravilhoso, enfeitado com um pássaro de açúcar-cande. Lembro-me também como chorei, no dia em que meu canário fugiu; do dia em que estava passeando no campo e vi um touro e me avisaram que ele iria me atacar. Isto aconteceu numa terça-feira, veja só! Por que me lembro até do dia, não sei. Lembro-me até de um piquenique divino em que saímos catando amoras e eu voltei para casa coberta de espinhos, mas com meu cestinho repleto! Foi maravilhoso! Acho que eu não tinha mais que nove anos. É claro que não vou exigir tanta memória das pessoas a quem vou procurar. A quantos casamentos já fui durante minha vida? Mas só consigo me lembrar bem de dois: num eu era a dama de honra, mas não sei ao certo se a noiva era minha prima, acho que era... Só sei que ela queria uma porção de damas de honra e, como eu estava disponível, fui aproveitada. O outro casamento foi o de um amigo meu da Marinha que quase tinha morrido afogado num submarino. Sei que a família da noiva se opôs ao casamento, mas eles seguiram em frente assim mesmo, e eu também fui convidada para ser dama de honra. Está vendo como a gente é capaz de se lembrar de uma porção de coisas?

— Percebo seu raciocínio — concordou Poirot — e acho sua tese muito interessante. Vai partir, portanto, "*à la recherche des éléphants*"?

— Decididamente. Espero poder descobrir a data exata do crime.

— Nisso eu posso ajudá-la.

— Em seguida, procurarei me lembrar das pessoas que eu conhecia nessa época; pessoas que tinham os mesmos amigos que eu e que talvez conhecessem o general; que talvez tivessem alguma ligação com o casal, no exterior, sei lá. É fácil procurar pessoas a quem não se vê há anos! É sempre um prazer rever um rosto do passado, embora a pessoa nem sempre se lembre bem de você. Nesses encontros, entre uma conversa e outra, pode aparecer alguma coisa.

— Muito interessante — disse Poirot. — Acho que você tem grandes possibilidades de êxito. Primeiro, as pessoas que conheciam os Ravenscroft bem ou ligeiramente; depois, as pessoas que viviam perto deles quando ocorreu a tragédia. Esta segunda parte é mais complicada, mas não é impossível de se averiguar. O importante é incitar as pessoas a falar e dar suas opiniões sobre o ocorrido; inquirir sobre os casos amorosos do marido ou da mulher; sobre dinheiro. Enfim, cercar o crime por todos os ângulos.

— Em resumo: não esquecer de ser bem abelhuda — suspirou a sra. Oliver.

— Você recebeu um encargo de uma pessoa a quem detesta e não deseja servir, mas isso não tem importância. Sua missão é saber. Para tanto, precisa traçar um plano, um caminho. O caminho dos elefantes, pois eles não esquecem. *Bon voyage* — concluiu Poirot.

— O quê?

— Estou me despedindo de você, pois vai partir numa viagem de descobertas — disse Poirot. — "*À la recherche des éléphants.*"

— Acho que sou doida mesmo — concluiu a sra. Oliver —, estou começando a escrever uma novela, mas não estava indo bem...

— Abandone a novela. Concentre-se nos elefantes!

LIVRO I
OS ELEFANTES

1
O *Almanaque do eu sei tudo*

— Você poderia procurar meu caderno de endereços para mim, srta. Livingstone?

— Está na sua escrivaninha, sra. Oliver. Na primeira gaveta do lado esquerdo.

— Não é este que eu quero — disse a sra. Oliver. — Este é o que estou usando agora. Eu falo do meu último. O que eu estou precisando é o do ano passado ou talvez o do ano retrasado.

— Será que foi jogado fora? — sugeriu a srta. Livingstone.

— Não costumo jogar fora cadernos de endereços e coisas desse tipo porque vivo precisando. Falo daqueles endereços que nunca copiamos para o caderno novo. Esses caderninhos devem estar enfiados numa gaveta dos armários.

A srta. Livingstone era a substituta recente da srta. Sedgwick. Ariadne Oliver sentia falta de sua antiga secretária. Miss Sedgwick sabia tantas coisas. Ela era capaz de intuir onde a patroa seria capaz de colocar qualquer objeto; lembrava-se dos nomes das pessoas a quem a sra. Oliver escrevia cartas amáveis ou malcriadas; enfim, era insubstituível, ou pelo menos tinha sido até então. Era como aquele livro tão em voga no começo do século: o *Almanaque do eu sei tudo*. Por incrível que possa parecer, esta descrição correspondia à realidade, suspirou pensativamente a sra. Oliver. Sabia tirar manchas de ferro das roupas de linho, salvar uma maionese desandada, escrever uma carta a um bispo etc. etc.

Já a srta. Livingstone não era a mesma coisa. Ficava sempre parada num canto, triste, com seu rosto pálido, fingindo ser eficiente. Cada ruga do seu rosto parecia transpirar: eu sou eficiente! Mas não era verdade. A única coisa que ela sabia era repetir onde os antigos patrões (também escritores) costumavam guardar suas coisas, sugerindo, portanto, que a sra. Oliver deveria imitá-los.

— O que eu quero — enfatizou a sra. Oliver, com a firmeza de uma criança mimada — é o meu caderno de endereços de 1970, e o de 1969 também. Por favor, procure-os imediatamente.

— Pois não, pois não — disse a srta. Livingstone com um ar de quem está procurando uma coisa que nunca viu antes, mas com a certeza de que a "eficiência" lhe iluminaria o caminho.

"Se Sedgwick não voltar, eu enlouquecerei", pensou a sra. Oliver. "Não vou ser capaz de investigar esse crime sem sua ajuda."

Enquanto isso, a srta. Livingstone abria e fechava várias gavetas dos armários do pseudoescritório da sra. Oliver.

— Aqui tem o do ano passado! — exclamou a secretária, exultante. — Deve estar muito mais atualizado, não é?

— Mas eu não quero o de 1971!

Uma lembrança vaga e nebulosa passou pela mente da sra. Oliver.

— Olhe na mesinha de chá — disse.

A srta. Livingstone reagiu com espanto.

— Aquela ali. — A sra. Oliver apontou.

— Um caderno de endereços não estaria naquela mesinha — sentenciou a srta. Livingstone, explicando à patroa as noções mais gerais sobre bom senso.

— Não sei por quê! Faça o favor de olhar — insistiu a sra. Oliver, afastando a srta. Livingstone para o lado e encaminhando-se para a mesa de chá. Levantou a tampa e puxou de dentro o caderninho. — Aqui está! Não disse? — perguntou triunfante.

— Mas este é o de 1968 sra. Oliver. Já tem quatro anos.

— É o que eu quero. Por enquanto é só, srta. Livingstone, mas a senhora poderia procurar meu álbum de aniversários...

— Eu não sabia...

— Eu não o uso mais, mas tenho um perdido por aí. É uma espécie de álbum que eu tenho desde criança. Deve estar no sótão, onde às vezes eu hospedo os meninos nas férias. Esse álbum ou está no armário ou numa mesinha de cabeceira perto da cama beliche.

— A senhora quer que eu veja?

— Se não for incômodo. — A sra. Oliver sorriu satisfeita em se ver livre da srta. Livingstone. Assim que a secretária se retirou, a sra. Oliver fechou a porta e passou a examinar o caderninho de endereços.

Ravenscroft. Celia Ravenscroft. 14, Fishacre Mews, S.W.3. Este era o antigo endereço da afilhada, que depois havia se mudado para Mardyke Grove; a sra. Oliver folheou apressadamente mais algumas páginas e encontrou um número de telefone meio apagado. Dirigiu-se para o aparelho.

Neste instante, a porta se abriu, e a srta. Livingstone reapareceu.

— A senhora não acha que...

— Já encontrei o endereço que eu queria — interrompeu a sra. Oliver. — Continue procurando meu álbum de aniversários. Tenho urgência dele.

— Será que a senhora não o deixou na outra casa?

— Absolutamente. Continue procurando.

Assim que a srta. Livingstone fechou a porta, a sra. Oliver murmurou para si mesma: "... e não se apresse muito!"

Discou o número do telefone e lembrou-se de uma última recomendação. Correu para a porta e gritou para o sótão:

— Dê uma olhada na arca espanhola, aquela com os puxadores de cobre.

Na primeira ligação, a sra. Oliver encontrou uma sra. Smith Potter que não sabia o paradeiro nem o telefone da antiga moradora. A sra. Oliver voltou a estudar o caderninho e descobriu dois números de telefone rabiscados e ininteligíveis. Um terceiro número, encontrado numa página adiante, foi tentado. A pessoa que atendeu disse conhecer Celia.

— Só que ela não mora mais aqui há anos. Deve estar em Newcastle.

— Eu não tenho esse endereço — disse a sra. Oliver.

— Nem eu. Acho que ela está trabalhando como assistente de um cirurgião veterinário.

Aquilo não parecia promissor. A sra. Oliver tentou mais uma ou duas vezes. Os endereços dos seus dois últimos cadernos não serviram, então ela foi um pouco mais atrás. E encontrou um outro telefone no caderninho de 1967.

— Celia, sim, Celia Ravenscroft... claro que conheço. Trabalhou para mim um ano e meio. Uma moça muito competente! Senti muito quando quis ir-se embora. Parece que foi trabalhar na rua Harley... um instantinho só que eu vou tentar localizar o novo endereço.

Fez-se uma longa pausa enquanto a sra. X procurava o novo endereço de Celia.

— Tenho um endereço em Islington. Será que serve?

— Qualquer coisa serve — respondeu a sra. Oliver, anotando o endereço e agradecendo a boa vontade da desconhecida.

— É uma complicação a gente tentar descobrir os endereços das pessoas; geralmente eu perco os cartões...

"O mesmo acontece comigo", murmurou a sra. Oliver, desligando o telefone. Em seguida, tentou o número em Islington. Uma voz, com forte sotaque estrangeiro, atendeu.

— Deseja? Sim? O quê?

— Gostaria de falar com a srta. Celia Ravenscroft.

— Mora aqui, sim; tem quarto alugado no segundo andar. Saiu e não volta hoje.

— Nem à noite?

— Sim, mas um instante só. Vai trocar de roupa para ir a outra festa.

A sra. Oliver agradeceu a informação e desligou.

"Francamente!", murmurou. "Essas moças de hoje..."

Tentou se lembrar há quanto tempo não via a afilhada. Sorriu, pensando em como na vida a gente perde as pessoas de vista. Imagine, Celia em Londres! O noivo de Celia em Londres, e certamente a mãe do noivo em Londres! Que confusão.

— O que é, srta. Livingstone?

A srta. Livingstone parecia uma árvore de Natal decorada de teias de aranha e quilos de poeira.

— Não sei se algum destes é o álbum que a senhora deseja — sibilou a secretária, tentando disfarçar o mau humor. — Pelo menos parecem bastante antigos.

— Pode ser.

— Quer que eu procure mais alguma coisa?

— Não. Por favor, coloque estes álbuns naquele canto; mais tarde vou dar uma olhada neles.

— Antes vou limpá-los — disse a srta. Livingstone. — Estão imundos!

— Muito obrigada — agradeceu a sra. Oliver, controlando-se para não rir das teias de aranha. Olhou o relógio e ligou novamente para o telefone em Islington. Uma voz segura e forte atendeu.

— É a srta. Ravenscroft? Celia?

— Sim.

— Talvez você não esteja bem lembrada de mim. Aqui quem fala é a sra. Oliver, Ariadne Oliver. Há anos não nos vemos... e afinal de contas eu sou sua madrinha.

— Claro. Realmente não nos vemos há muito tempo.

— Eu gostaria de me encontrar com você, se fosse possível. Você poderia vir jantar ou...

— No momento vai ser difícil, pois trabalho até tarde. Poderia dar uma passada, em sua casa, lá pelas 19h30 ou vinte horas. Tenho um encontro mais tarde.

— Se fosse possível, eu ficaria encantada.

— Está bem. Sei o endereço. Até logo.

A sra. Oliver fez uma anotação no seu caderno de telefones e olhou com certa irritação para a srta. Livingstone, que havia acabado de entrar, segurando um álbum grande.

— Seria este o álbum?

— De maneira alguma. Este é o de receita de doces.

— Ah! é mesmo!

— Em todo caso deixe-os aqui. Mais tarde vou dar uma espiada neles. Por favor, continue procurando. Quem sabe não estarão naquele armário de toalhas? Às vezes, eu costumo guardar uns papéis naquele armário. Espere aí, eu vou subir e procurar eu mesma.

Dez minutos depois, a sra. Oliver folheava um álbum amarelecido pelos anos. A srta. Livingstone, ao seu lado, continuava a expressar dor e sofrimento como uma mártir cristã.

— Agora, por favor, dê uma olhada na mesa da sala de jantar. Eu devo ter enfiado uns cadernos de telefone antigos pelas gavetas — disse a sra. Oliver, irritada diante do ar contrito da secretária. — Quando encontrar, pode ir, pois não vou mais precisar de você hoje.

A srta. Livingstone retirou-se.

— Eu espero — disse a sra. Oliver para si mesma, enquanto olhava as páginas do velho álbum de aniversários. — Cada vez que ela sai, não sei quem fica mais feliz... ela ou eu — perguntou-se curiosa a sra. Oliver. — Depois da visita de Celia, vou ter muito o que fazer.

A sra. Oliver resolveu telefonar para Hercule Poirot.

— Como vai, Monsieur?

— Vou bem, Madame.

— Descobriu alguma coisa?

— Como assim?

— Sobre o que falamos ontem?

— Já comecei minhas investigações.

— Está aguardando os resultados? — perguntou a sra. Oliver sempre disposta a provar a ineficiência masculina.

— E você? — quis saber Poirot.

— Estou ocupadíssima!

— Fazendo o quê?

— Reunindo elefantes, se é que me entende.

— Creio que sim.

— Não é fácil examinar o passado — continuou a sra. Oliver. — É impressionante o número de pessoas que voltam à sua mente enquanto se folheia um caderno de endereços. Sem falar nas bobagens que escrevem nos álbuns de recordações. Também não sei para que eu queria que as pessoas escrevessem no meu álbum...

— Obteve resultado nas pesquisas?
— De certa maneira! Sei que estou na trilha certa. Já falei, inclusive, com a minha afilhada.
— E vai vê-la?
— Ela vem aqui hoje, lá pelas oito horas. Pelo menos, prometeu que viria. Os jovens, hoje em dia, são tão imprevisíveis!
— Ela gostou de receber seu telefonema?
— Não sei. Não ficou triste nem alegre. Celia é uma pessoa firme... e talvez um pouco assustadora.
— Em que sentido?
— Ela seria capaz de me dominar inteiramente.
— O que poderia ser uma ameaça ou uma bênção!
— Você acha?
— Veja bem, se uma pessoa resolve não gostar de você, ou pelo menos pensa que não gosta de você, certamente advirá um certo prazer em demonstrar essa aversão, dando a você mais pistas do que se quisesse ser agradável e simpática.
— Entendo. Pode ser que você tenha razão. Deixe ver se entendi direito: segundo sua teoria, as pessoas contam para a gente as coisas que pensam que gostaríamos de ouvir. Quando não gostam, dizem coisas que acham que poderiam magoar-nos. Será que Celia se encaixaria nesta segunda hipótese? Eu me lembro bem dela quando tinha cinco anos. Depois não sei... só me lembro que Celia tinha uma babá e que vivia atirando os sapatos.
— Quem? A babá na menina ou a menina na babá?
— A menina na babá, é claro — respondeu a sra. Oliver, desligando o telefone.

Em seguida, voltou para o caderno de endereços, examinando os nomes e os endereços do passado. "Marianna Josephine Pontarlier... imaginem só! Pensei que ela tivesse morrido. Anna Braceby, que morava tão longe... Onde estará agora?"

Em meio a essas indagações, o tempo foi passando, e a sra. Oliver surpreendeu-se quando a campainha tocou. Correu para atender a porta.

2
Celia

A sra. Oliver ficou, por um momento, espantada ao encontrar uma moça alta, parada na porta. A impressão de vitalidade e força que ela transmitia era enorme, e o impacto causado foi grande.

"Aí estava", pensou a escritora, "uma mulher de personalidade: agressiva, talvez difícil e até mesmo perigosa. Uma moça predestinada às grandes causas, capaz até de chegar à violência para conseguir seus intentos. Enfim, uma personalidade."

— Entre, Celia. Faz tanto tempo! Acho que a última vez foi num casamento onde você era *demoiselle d'honneur*. Lembra do vestido de gaze *chiffon* amarelo com aquele enorme buquê de flores de... trigo?

— Provavelmente... só sei que espirrei sem parar, de alergia, durante uma semana. Foi um senhor casamento! Nunca vi roupas tão feias. Eu pelo menos nunca usei um vestido tão horrível!

— Realmente, as roupas estavam desastrosas. Mesmo assim, você era a mais bonita.

— Obrigada — agradeceu Celia.

A sra. Oliver indicou uma cadeira e dirigiu-se ao bar.

— Quer beber alguma coisa? Xerez?

— Claro. Talvez possa parecer estranho eu ter lhe telefonado depois de tantos anos...

— Até que não.

— Não sou uma madrinha muito ortodoxa.

— E eu já sou uma afilhada bem crescidinha...

— Tem razão. A gente se desobriga das pessoas quando elas crescem. Não que eu tenha me ocupado tanto com você... nem sei se fui à sua primeira comunhão!

— Faz parte das atribuições de uma madrinha ensinar o catecismo, não faz? Renunciar o diabo e aquela história toda... — Celia sorriu, ligeiramente.

"Embora ela esteja sendo simpática, não posso deixar de notar algo de perigoso nela", pensou a sra. Oliver.

—Vou contar por que a procurei — disse a sra. Oliver. — É uma história meio estranha. Não costumo frequentar almoços em homenagem a escritores e solenidades parecidas, mas ontem, por acaso, aceitei um convite...

— Li no jornal e até fiquei espantada quando vi seu nome, porque sei que a senhora não é dada a esse tipo de comemorações.

— É verdade. Aliás, me arrependo de ter ido.

— Não foi bom?

— Não é bem isso. No começo foi divertido porque, para mim, era novidade. Mas... sempre que apareço em público acontece algo de desagradável.

— E aconteceu?

— Sim, e por incrível que pareça, relacionado com você. Por isso achei melhor falar-lhe pessoalmente... eu, para dizer a verdade, fiquei furiosa!

— Deve ser algo palpitante — comentou Celia, bebericando o xerez.

— Uma mulher veio falar comigo, uma mulher que não me conhecia!

— Mas isso deve lhe acontecer sempre.

— É verdade — concordou a sra. Oliver. — São os ossos do ofício. As pessoas me atacam na rua com os elogios ou os insultos mais disparatados.

— Eu já fui secretária de um escritor, sei bem do que está falando.

— Durante o almoço correu tudo bem. Foi durante o café que uma mulher me disse: "Acho que a senhora tem uma afilhada chamada Celia Ravenscroft, não tem?"

— É realmente estranho — disse Celia — aproximar-se de uma pessoa dessa forma. Talvez ela devesse elogiar ou criticar os seus livros. O que ela tem contra mim?

— Que eu saiba, nada — respondeu a sra. Oliver.

— É uma amiga minha?

— Não sei.

Fez-se uma pausa. Celia bebericou o xerez e olhou com curiosidade para a sra. Oliver.

— Não sei aonde a senhora está querendo chegar.

— Espero que não vá ficar zangada comigo — preveniu a sra. Oliver.

— Por que ficaria zangada?

— Porque o que eu vou dizer, ou melhor, repetir, talvez não seja da minha conta.

— Estou morta de curiosidade.

— O nome dessa mulher é Burton-Cox.

— Ah! — exclamou Celia.

— Você a conhece?

— Sim.

— Tive essa impressão pela...

— Como assim?

— Pelas coisas que ela disse.

— Que coisas? Não entendo.

— Ela me contou que achava que o filho ia se casar com você.

Celia mudou de expressão. Arqueou as sobrancelhas e olhou friamente para a sra. Oliver.

— E a senhora quer saber se isso é verdade?

— Não, absolutamente. Só estou repetindo o começo da minha conversa com ela. O que ela queria que eu esclarecesse tinha relação com o fato de você ser minha afilhada. Creio que ela pretendia se elucidar através de uma conversa entre nós.

— E o que seria...?

— Não se ofenda, por favor — pediu a sra. Oliver. — Eu, para dizer a verdade, fiquei bastante chocada com a audácia da criatura. Uma mulher sem a menor compostura! Ela me disse o seguinte: "A senhora não poderia descobrir se foi o pai dela que matou a mãe ou se foi a mãe que matou o pai?"

— Ela disse isso?! Pediu que a senhora me perguntasse isso?!

— Sim.

— Sem nem conhecê-la? Só porque a senhora é uma escritora e estava na festa?

— Ela nunca tinha me visto na vida. Nem eu a ela!

— Não é fantástico?
— Não sei... na hora achei a pergunta... e a criatura tão odiosa que fiquei sem ação.
— Ela realmente é uma mulher odiosa — concordou Celia.
— E você pretende casar com o filho dela?
— Bom, já aventamos essa possibilidade. Não sei. A senhora sabia a que ela estava se referindo?
— Sei o que qualquer pessoa relacionada com sua família deve saber.
— Isto é, que meus pais, depois que papai se aposentou, compraram uma casa no campo. Que um belo dia foram dar uma volta perto dos rochedos. Que foram encontrados mortos a tiros. Havia um revólver ao lado deles que pertencia ao meu pai. Parece que existiam dois revólveres na casa. Não se podia dizer se foi um pacto de morte ou se meu pai matou minha mãe e depois se suicidou, ou se foi minha mãe que matou meu pai e depois se suicidou. Mas acho que tudo isso a senhora já sabe.
— De certa forma — disse a sra. Oliver. — Afinal, é uma história que aconteceu há 12 anos!
— É verdade.
— Você devia ter uns 12 ou 13 anos...
— Sim.
— Para dizer a verdade — disse a sra. Oliver —, eu nem estava na Inglaterra naquela época. Estava dando umas conferências nos Estados Unidos. Li a notícia nos jornais, que fizeram um grande estardalhaço porque a tragédia vinha cercada de mistério. Seus pais sempre se deram bem, segundo as informações. Eu me interessei pelo caso porque conheci os dois quando éramos jovens; especialmente sua mãe, que foi minha amiga de colégio. Depois tomamos outros rumos: eu me casei, mudei para longe e ela também; soube que tinha ido para a Malásia, ou coisa parecida, com o marido, que era militar. Mais tarde, fui convidada para ser sua madrinha. Depois nossos contatos foram escasseando devido à distância.

— Às vezes a senhora ia me visitar na escola e me levava para jantar fora. Lembro-me das comidas, que eram deliciosas...

— Você foi uma criança excepcional. Gostava de caviar...

— Ainda gosto, embora não o coma tão frequentemente.

— Fiquei chocada com o noticiário. Não esclarecia nada... e finalmente o veredicto: um fato sem razão aparente, sem briga e nem mesmo a possibilidade de ser um assalto à mão armada. Foi um choque que, com o correr dos anos, foi passando. Às vezes, eu me perguntava o porquê da tragédia, mas como estava sempre viajando acabei esquecendo... Quando encontrei você no casamento, naturalmente, não quis tocar no assunto.

— Fiquei muito agradecida por isso — disse Celia.

— Pela vida deparamos com coisas bem estranhas que acontecem com nossos amigos ou conhecidos. Com os amigos... a gente sempre tem uma ideia das causas... seja lá qual for o incidente. Mas, quando acontece algo com pessoas com quem você perdeu contato, a gente fica sem entender nada. O pior é que não se tem nem a quem perguntar...

— A senhora sempre foi muito atenciosa comigo. Sempre me presenteou. Nunca esqueci o presente que me deu quando completei 21 anos.

— É quando uma mulher mais necessita de dinheiro. Precisa de tantas coisas...

— Sempre achei a senhora uma pessoa muito compreensiva e discreta. Nunca me fazia perguntas quando me levava para jantar ou ir ao teatro e me tratava como se nada tivesse acontecido. Tão diferente das abelhudas que eu encontrei pela vida!

— São pessoas inevitáveis. Por isso, entenda como me senti naquele almoço. Imagine uma desconhecida, como a sra. Burton-Cox, fazendo esse tipo de perguntas! E o que mais me intriga é o motivo pelo qual ela precisava tanto saber. A não ser que...

— A não ser que eu me case com Desmond, o filho dela.

— Mesmo assim não vejo relação.

— Ela é curiosa por natureza. Se mete em tudo. Em suma, é uma mulher odiosa — acrescentou Celia.

— O filho é diferente, espero.

— Eu gosto dele, e ele, de mim. A mãe é que é insuportável.

— Ele gosta da mãe?

— Não sei — respondeu Celia. — Pode ser; tudo é possível. O fato é que, no momento, não estou pretendendo me casar. Ainda não está na hora. Existem tantos prós e contras... a senhora deve ter ficado intrigada com a pergunta! Imagine, uma bisbilhoteira pedindo que a senhora arranque informações! A senhora também está querendo me fazer a mesma pergunta?

— Se eu estou perguntando se você sabe o que realmente ocorreu entre seus pais?

— Sim. E se pretende transmitir o que acha que eu sei para a sra. Burton-Cox.

— Não, decididamente não. Jamais diria àquela víbora qualquer coisa. Se me encontrar com ela novamente, só direi que, como estou ocupada, cuidando da minha vida, aconselho-a a fazer o mesmo.

— Eu sabia — disse Celia —, sabia que podia contar com a senhora. Não me importo de contar o pouco que sei a respeito de meus pais...

— Mas não é preciso.

— Não custa nada, pois o que eu sei resume-se numa só palavra: nada.

— Nada — repetiu a sra. Oliver, pensativa.

— Exatamente. Eu não morava com eles na época, ou estava na escola, na Suíça, ou passando as férias na casa de alguma colega. Realmente não me lembro bem.

— Imagino também — disse a sra. Oliver — que, na idade em que você estava, mesmo que morasse com seus pais, não poderia saber de muita coisa.

— A senhora acha?

— Você mesma disse que não estava em casa. Se estivesse, talvez soubesse de algo. As crianças e os adolescentes sabem e ouvem coisas que não comentam com os adultos e muito menos com a polícia.

— Acho que é verdade. Eu não sabia de nada nem imaginava coisa alguma. Qual é a opinião da polícia? Não me importo de conversar sobre esse assunto com a senhora porque até hoje ainda estou no ar. Não li o veredicto da polícia, nem sei maiores detalhes sobre o caso.

— A polícia acha que foi um suicídio duplo, mas não sabe o motivo.

— A senhora quer minha opinião?

— Se você quiser me dar...

— Sei que a senhora está interessada no caso; escreve histórias policiais sobre crimes e suicídios... e os motivos que conduzem a isto.

— Realmente — concordou a sra. Oliver —, mas a última coisa que desejo é magoar você para satisfazer minha curiosidade.

— Eu sempre me perguntei o porquê, como e para quê da morte dos meus pais. Não soube de nada por estar sempre fora de casa. Antes de morrer, eles tinham estado comigo, por pouco tempo, uma ou duas vezes, na Suíça. Pareciam os mesmos de sempre, porém um pouco mais velhos. Meu pai estava um pouco abatido, talvez estivesse sofrendo do coração ou coisa parecida. Na época não prestei muita atenção. Minha mãe parecia nervosa, preocupada com a saúde. Pareciam bem, um com o outro, portanto não percebi nada que pudesse dar uma pista do que iria acontecer. Às vezes, porém, quando penso no caso, me vêm umas ideias...

— Acho que devemos esquecer este caso — disse a sra. Oliver. — Não há necessidade de sabermos. É uma história passada. A polícia já deu o veredicto, ou seja, um laudo constatando morte por suicídio, sem motivo aparente. Só não sabem quem matou o parceiro e se suicidou depois.

— Eu acharia mais provável que meu pai fosse o autor. Acho um homem mais capaz de disparar uma arma de fogo, seja lá qual for o motivo. Não creio que minha mãe fosse capaz disso. Se ela quisesse matá-lo, certamente teria escolhido outra maneira. Só não acho que eles fossem capazes de se matar.

— Acha que foi outra pessoa?

— Sim, mas quem seria? — perguntou Celia.

— Quem mais morava na casa?

— Uma governanta velha, meio cega e meio surda; uma moça estrangeira que tinha sido minha governanta, mas que tinha voltado para casa para tratar de mamãe quando ela esteve no hospital; e uma tia de quem eu não gostava muito. Nenhuma delas, acho, seria capaz de matar meus pais, mesmo porque não lucrariam nada com a morte deles. Meu irmão e eu fomos os únicos herdeiros e, além do mais, meu pai não era tão rico assim!

— Sinto muito fazê-la voltar a esse assunto.

— Não tem a menor importância, pois eu mesma gostaria de saber a verdade; e, apesar de gostar dos meus pais, como todo mundo, sei, hoje em dia, que na realidade nunca os conheci. Não soube como eram na intimidade nem o que pensavam. Ficou tudo muito vago, e eu queria a verdade para poder esquecer tudo.

— Por quê, você pensa sempre nisso?

Celia olhou para a sra. Oliver como se estivesse tomando uma decisão.

— Sim — respondeu por fim. — Penso sempre neles. É quase uma obsessão. E Desmond já está ficando preocupado.

3
Marcas profundas de antigos pecados

Hercule Poirot entrou no pequeno restaurante, que estava quase vazio, pois não era hora de grande movimento, e não teve, portanto, a menor dificuldade em avistar o corpanzil do inspetor Spence.

— Que prazer — disse ele. — Não teve dificuldade em encontrar o local?

— Absolutamente, suas indicações foram bastante precisas.

— Este aqui é o comissário-chefe Garroway — disse o inspetor, apontando para um senhor alto, magro, cujo ar de beatitude era acentuado por uma coroinha de cabelos cinzentos.

— Muito prazer — disse Poirot.

— Já estou aposentado — preveniu o comissário —, mas certas coisas não se esquecem. Mesmo aquelas mais antigas das quais todo mundo já se esqueceu.

Hercule Poirot quase disse: os elefantes não esquecem; mas resolveu calar-se. A frase tinha se associado indelevelmente à sra. Oliver, de forma que, às vezes, era difícil não pronunciá-la quando se apresentava a oportunidade.

— Sente-se, por favor — convidou o comissário.

Os três se acomodaram em volta da mesa, enquanto o garçom lhes entregava o cardápio. O inspetor, assíduo frequentador, sugeriu alguns pratos. Garroway e Poirot fizeram seus pedidos. Depois, bebericando um delicioso xerez, ficaram alguns instantes em silêncio.

— Acho que devo pedir desculpas por incomodá-los com um assunto dado por encerrado há tantos anos.

— Gostaria de saber por que o senhor está interessado — disse Spence. — Não sabia que gostava de esmiuçar o passado. Diga-me, sua curiosidade foi despertada por algo que está ocorrendo no momento, ou é simplesmente com o intuito diletante de resolver um caso misterioso? Garroway, que na época era inspetor, foi o encarregado da investigação do caso Ravenscroft. Somos velhos amigos, de maneira que não foi difícil convidá-lo para tomar parte neste almoço.

— Muita amabilidade sua, comissário — disse Poirot, inclinando a cabeça —, em aceder à curiosidade de um intrometido desocupado.

— Não é bem assim — disse Garroway. — Todos nós, de vez em quando, nos interessamos por um caso antigo. Principalmente se os veredictos não foram suficientemente satisfatórios.

Garroway olhou para Poirot com curiosidade.

— Se não me engano — continuou —, o senhor já manifestou, uma ou duas vezes, um certo interesse por crimes ocorridos no passado.

— Pelo menos umas três vezes! — disse o inspetor Spence.

— Uma vez, se não me falha a memória, a pedido de uma moça canadense...

— É verdade — interrompeu Poirot —, uma moça canadense de muita personalidade que veio a Londres para investigar um crime pelo qual sua mãe tinha sido condenada, embora a pobre senhora tenha falecido antes de ser executada. A moça tinha certeza de que sua mãe era inocente.

— E o senhor concordou? — quis saber Garroway.

— Não a princípio, apesar da veemência e da certeza da moça.

— É claro que qualquer filha desejaria inocentar a mãe e salvá-la da forca — disse Spence.

— Mas ela foi mais longe — explicou Poirot —, quando me convenceu que tipo de mulher era sua mãe.

— Uma mulher incapaz de matar?

— Não — Poirot sorriu —, os senhores concordam comigo que é muito difícil achar que uma pessoa é incapaz de cometer um crime se a gente não conhece bem a que tipo pertence e quais são suas motivações internas. Neste caso, porém, a mãe não dizia ser inocente e parecia satisfeita com a condenação. Isto já era muito estranho. Estaria eu diante de uma derrotista? Não era possível. Quando comecei a fazer minhas investigações tive certeza de que ela não era uma derrotista; pelo contrário, era uma mulher de grande energia.

Garroway, interessado na história, apoiou os cotovelos na mesa enquanto mastigava uma fatia de pão preto.

— Ela era inocente?

— Sim, era.

— E isto o surpreendeu?

— Não — respondeu Poirot. — Durante as investigações, começaram a surgir pistas e uma principalmente que provou que ela não poderia ser a culpada. Um detalhe mínimo a que ninguém tinha prestado atenção, mas que desvendou toda a trama.[2]

Neste instante, o garçom trouxe um maravilhoso prato de trutas grelhadas.

— Teve um outro caso seu — disse Garroway — em que o senhor teve que recorrer ao passado. Uma moça que lhe contou, numa festa, que tinha visto cometerem um crime.[3]

— Realmente, foi outra incursão ao passado — lembrou-se Poirot.

— E a moça estava dizendo a verdade?

— Não — respondeu Poirot. — A truta está deliciosa!

— Aqui, todos os pratos de peixe são maravilhosos — disse Spence, servindo-se de mais uma colherada de molho. — Este molho está do outro mundo!

Os três ficaram um instante em silêncio, saboreando a comida.

— Quando Spence veio me falar sobre o caso Ravenscroft — disse Garroway —, fiquei intrigado e contente.

— O senhor ainda se lembra do caso?

— Como se tivesse acontecido ontem. Não é uma história fácil de esquecer.

— Concorda comigo — disse Poirot — que existem discrepâncias, falta de provas?

— Não é bem isso — disse Garroway. — Todas as provas foram revistas, casos parecidos estudados e comparados, e mesmo assim...

— Mesmo assim? — repetiu Poirot.

— Não me convenceram!

— Ah! — exclamou Spence, interessado.

— O senhor teve essa impressão logo que assumiu o caso? — perguntou Poirot.

---

[2] *Os cinco porquinhos.*

[3] *A noite das bruxas.*

— Exatamente como no caso da sra. McGinty — interveio Spence.[4]

— Lembro-me de que Spence não ficou convencido da culpa quando prenderam aquele rapaz, tão desagradável, e o acusaram de ser o assassino. Todas as provas o acusavam, mas Spence sentia que ele não era o assassino. Foi então que me procurou.

— E você o ajudou, não foi?

— Ajudei — concordou Poirot com um suspiro. — Aqui entre nós, que osso duro de roer era o acusado... Se existe alguém no mundo que mereça ser enforcado por antecipação criminosa, eis aí um forte candidato. Voltando ao caso Ravenscroft, comissário Garroway, o senhor sentiu que existia algo que não soava bem?

— Tinha certeza.

— Entendo — disse Poirot. — Tenho certeza de que Spence também entende, pois volta e meia nos deparamos com um caso desses. As provas, o motivo, a oportunidade, as pistas, tudo leva a uma conclusão. É como se estivéssemos olhando para uma planta baixa de um arquiteto, tudo claro e preciso, no entanto existe algo de errado.

— Não pude fazer nada — recordou Garroway. — Olhei o caso de todos os ângulos, entrevistei várias pessoas... e nada! Tudo levava a crer que fora um pacto de morte comandado por qualquer um dos parceiros, isto é, o marido ou a mulher. Neste caso, porém, ninguém podia imaginar por quê...

— Porque não havia realmente explicação, não é mesmo? — perguntou Poirot.

— Exatamente. Em geral, quando se começa a investigar um caso e a perguntar coisas, acaba-se tendo uma ideia bem-definida da intimidade da vítima. No caso Ravenscroft, tínhamos um casal de meia-idade, que se amava e vivia feliz. Gostavam de passear, jogar tênis ou cartas. Os filhos não davam trabalho, o menino estudava na Inglaterra e, a menina, num pensionato na Suíça. Nada de errado

---

[4] *A morte da sra. McGinty.*

ou anormal. Quanto à questão de saúde, segundo as fichas médicas, também não havia motivo de preocupação. O general sofria de pressão alta, fazia regime e tomava os remédios prescritos regularmente; a mulher, que era ligeiramente surda, tinha tido um pequeno problema cardíaco, mas, na época do suicídio, encontrava-se bem. Pensamos, como às vezes acontece, que eles tivessem angústia em relação à saúde... por exemplo, como certas pessoas que vivem convencidas de que estão com câncer e que não viverão mais que um ano. Os Ravenscroft, porém, não pareciam ser hipocondríacos a este ponto e transmitiam aos conhecidos uma imagem de calma e equilíbrio.

— O que o senhor acredita que realmente aconteceu? — perguntou Poirot.

— O problema é que eu não podia formar opinião alguma! — respondeu Garroway. — Recordando o caso, hoje em dia, digo que foi suicídio. Só poderia ser suicídio. Por uma razão qualquer, eles decidiram acabar com a vida! Não era problema de dinheiro, saúde ou amor. Daí por diante, eu não podia prosseguir. O caso apresentava todas as características de suicídio. Aliás, não acho que possa ter acontecido qualquer outra coisa. O casal foi dar uma volta, levaram um revólver, que mais tarde foi encontrado entre os dois corpos, com a impressão digital de ambos. Os dois tinham disparado a arma, mas seria impossível precisar quem o fez por último. Acredita-se que o marido tenha assassinado a esposa e depois se suicidado. Passaram-se os anos, e sempre que alguém fala ou leio sobre um casal encontrado morto, lembro-me do caso Ravenscroft e fico me perguntando o porquê do suicídio. Uma história de uns 12 ou 14 anos atrás, e eu ainda não esqueci! Será que eles se odiavam em silêncio? Será que a mulher queria se ver livre do marido? Será que eles chegaram a um ponto de saturação tal que não se suportavam mais?

Garroway fez uma ligeira pausa, mastigou mais um pedaço de pão e voltou os olhos para Poirot.

— O senhor tem alguma ideia? Alguém lhe disse algo que despertou seu interesse? O senhor sabe o *porquê*?

— Não, mas acho que o senhor deve ter alguma hipótese sobre o caso.

— Na verdade, tenho. Cheguei à conclusão de que não adiantava teorizar sobre o caso, pois não tínhamos suficiente conhecimento da motivação. Afinal, o que eu conhecia dos Ravenscroft? Simplesmente que o general estava com quase sessenta anos e a mulher, com 35! Só tínhamos maiores informações sobre os seis últimos anos da vida do casal; o general tinha-se aposentado e resolvido voltar à Inglaterra. Primeiro moraram em Bournemouth e depois se mudaram para a casa onde ocorreu a tragédia. Viveram os últimos anos em paz, felizes, recebendo os filhos nas férias escolares. Um período de paz, coroando uma vida de paz. Mas aí eu comecei a pensar: afinal o que eu sabia da vida deles para concluir isso? Sabia que eles não tinham problemas financeiros, nem eram odiados, ou tinham amantes. Mas, antes de voltarem à Inglaterra, o que teria acontecido? Esta parte da vida deles, para mim, era um mistério. Sabia que de vez em quando vinham passar uns meses aqui, que eram queridos pelos amigos, que o general era um militar respeitado. Mas... e se houvesse acontecido uma tragédia, uma briga e ninguém soubesse? Talvez algum erro na mocidade, cometido antes do casamento, ou alguma falta grave ocorrida na Malásia? Talvez aí estivesse a fonte da tragédia. Minha avó costumava dizer: "Os pecados antigos deixam marcas profundas." Portanto, a causa da morte seria algum pecado, alguma sombra do passado? Não é fácil descobrir, pois, quando se investiga a vida de um sujeito, geralmente os pequenos detalhes são omitidos pelos amigos e pelos fichários. Aos poucos, concluí que só poderia descobrir o que realmente motivara a tragédia se pudesse viajar e conhecer os lugares em que eles tinham vivido. Talvez, então, eu encontrasse algo que parecesse esquecido, mas que ainda estava vivo. Uma marca do passado...

— ... que talvez não fosse do conhecimento das pessoas ou dos amigos ingleses? — concluiu Poirot, entendendo o raciocínio de Garroway.

— Os amigos ingleses, na sua maioria, eram ligações recentes. Poucos, pouquíssimos, os conheciam antes do casamento. E as pessoas acabam esquecendo.

— É, as pessoas esquecem — concordou Poirot.

— Não são como os elefantes. — Garroway sorriu. — Dizem que os elefantes não esquecem...

— Que estranho!

— O que eu disse sobre os pecados?

— Não, o senhor ter falado em elefantes.

O comissário olhou para Poirot surpreso, esperando uma explicação. Spence limitou-se a sorrir.

— Será que os Ravenscroft tiveram alguma complicação com os elefantes no Oriente? — sugeriu Garroway. — Afinal, o que os elefantes têm a ver com esta história?

— Uma amiga falou neles — explicou Poirot —, ou melhor, uma amiga nossa, Spence: a sra. Oliver.

— Ah! Ariadne Oliver! Muito bem!

— Muito bem por quê? — perguntou Poirot.

— Ela sabe de alguma coisa?

— Ainda não, mas está prestes a descobrir — respondeu Poirot. — Ela é bastante curiosa e conhece muita gente.

— É verdade — concordou Spence. — E ela tem alguma teoria sobre os Ravenscroft?

— Vocês estão falando da escritora? — inquiriu Garroway.

— Sim — respondeu Spence.

— Ela sabe de alguma coisa sobre o crime? Sei que ela escreve romances policiais e sempre me perguntei onde ela arranja tantas ideias.

— As ideias ela mesma inventa — informou Poirot.

— Em que está pensando, Poirot? — quis saber Spence.

— Que eu estraguei uma ideia dela. Ela tinha criado um enredo policial, envolvendo um vestido de lã com mangas compridas. Eu interrompi seu pensamento, telefonando fora de hora. Quando ela desligou, não conseguiu mais escrever a história e até hoje ela me cobra isso!

— Parece uma dona de casa se queixando de que o molho da maionese desandou — comentou Spence. — Ou aquela história do Sherlock Holmes e o cão de guarda que dormia de noite.

— Eles tinham um cão? — perguntou Poirot.
— O quê?
— O general e a esposa tinham um cão?
— Tinham, e talvez o cachorro os acompanhasse nos passeios — respondeu Garroway.
— Se fosse uma novela da sra. Oliver — interveio Spence —, certamente encontrariam o cão uivando sobre os dois cadáveres. Na realidade, isto não aconteceu.

Garroway concordou com a cabeça.

— Onde andará esse cachorro? — perguntou Poirot.
— Certamente enterrado num jardim — respondeu Garroway. — Afinal esse caso já tem 14 anos.
— Portanto, não podemos interrogar o cachorro! — concluiu Poirot. — É surpreendente o que um cachorro pode saber. Quem estava na casa no dia do crime?
— Tenho aqui a lista — disse Garroway. — A sra. Whittaker, a velha cozinheira que nesse dia estava de folga. Uma visita, uma senhora que tinha sido governanta dos filhos do casal. A sra. Whittaker não pôde nos dizer nada de interessante, a não ser que a sra. Ravenscroft tinha voltado recentemente de um hospital ou uma casa de saúde para tratamento do sistema nervoso. O jardineiro também estava na casa.
— Um estranho poderia ter aparecido. Não é o que o senhor acha, comissário Garroway?
— É provável.

Poirot calou-se, lembrando da época em que lhe pediram para voltar ao passado e examinar a vida de três pessoas, exatamente como na história dos três porquinhos. Tinha sido fascinante! E compensador, pois ele descobrira a verdade.

4
Recordações de uma velha amiga

Na manhã seguinte, a sra. Oliver encontrou a srta. Livingstone esperando por ela no escritório.

— Duas pessoas telefonaram para a senhora — informou a secretária.

— Quem eram?

— O estofador, para saber se a senhora já tinha decidido entre o brocado verde-musgo ou o azul-celeste.

— Ainda não resolvi. Amanhã me lembre de dar a resposta; gostaria de ver os tecidos à luz do dia.

— O outro telefonema era de um estrangeiro, creio que era francês, o sr. Hercule Poirot.

— O que ele queria?

— Queria saber se a senhora poderia encontrá-lo hoje à tarde.

— Impossível — respondeu a sra. Oliver. — Telefone para ele, explicando que eu vou ter que sair. Ele deixou o telefone?

— Sim.

— Ótimo, assim nos poupa o trabalho de pesquisar nos caderninhos de endereços... diga-lhe que sinto muito, mas tive que sair na pista de um elefante.

— Como?

— Exatamente o que eu disse — confirmou a sra. Oliver.

— Pois não — murmurou a srta. Livingstone, confirmando mentalmente a opinião que tinha da sra. Oliver, isto é, que, apesar de ser uma grande escritora, era também completamente louca.

— Nunca cacei elefantes — disse a sra. Oliver. — Embora seja um esporte fascinante.

Em seguida, abriu a gaveta da escrivaninha e copiou alguns endereços de um caderno bastante surrado pelo tempo.

— Bom, tenho que começar por alguém — disse a escritora —, só espero que Julia não esteja completamente senil, pois vai ser meu primeiro elefante. A pobre sempre foi muito imaginativa e conhecia bem aquelas regiões.

— Tenho aqui algumas cartas para a senhora assinar — disse a srta. Livingstone.

— Não posso agora, não tenho um minuto a perder; já estou muito atrasada. Adeus.

Julia Carstairs lutou com certa dificuldade para erguer-se da poltrona, num esforço muito comum às pessoas de mais de setenta anos, quando tentam firmar os pés no chão, depois de um demorado repouso ou de um rápido cochilo. Como era ligeiramente surda, não conseguiu entender bem o nome da visita que havia sido anunciada pela encarregada da Casa de Repouso Geriátrico.

"Sra. Gulliver?", pensou. "Como seria possível se não conhecia pessoa alguma com esse nome?" Deu alguns passos vacilantes, tentando fixar a vista.

— Creio que a senhora não se lembra mais de mim. Não nos vemos há anos.

Como muitas pessoas idosas, a sra. Carstairs reconhecia melhor as vozes do que as fisionomias.

— Oh! — exclamou. — Meu Deus! Ariadne, que prazer revê-la!

As duas trocaram beijos e abraços.

— Por acaso estava passando por esta redondeza — explicou a sra. Oliver —, pois vim visitar uma outra amiga, que mora aqui perto, e resolvi lhe fazer uma visitinha. Vejo que está muito bem instalada.

— Não é nada mau — disse a sra. Carstairs —, mas também não é o que eles anunciam nos jornais! A mobília é a gente quem traz, e as refeições são feitas no restaurante do primeiro andar; caso se queira cozinhar, também é permitido. Na verdade, não é nada mau. Você reparou como os jardins são bonitos e bem-conservados? Mas sente-se, minha querida. Você está ótima! Li no jornal que foi homenageada num almoço, mas nunca imaginei que iria encontrá-la três dias depois...

— É mesmo — disse a sra. Oliver, sentando-se numa poltrona.

— Ainda está morando em Londres?

A sra. Oliver respondeu que sim e em seguida rememorou rapidamente suas aulas de dança, quando criança, com a sra. Carstairs: "Para frente! Para trás! Dê a mão! Duas voltas, um corrupio etc." Perguntou pelas filhas da sua antiga professora, sobre os netos, sobre uma outra filha que vivia na Nova Zelândia, cuja ocupação era bastante vaga para a própria sra. Carstairs, mas que tinha alguma relação com pesquisa social. A sra. Carstairs tocou a campainha e pediu que Ema servisse o chá. A sra. Oliver, não querendo incomodar, recusou polidamente.

— Mas não dá trabalho nenhum! Imagine, você sair daqui sem tomar uma xícara de chá!

Enquanto Ema foi providenciar o chá, as duas sorriram e se reclinaram nas poltronas.

— Faz anos que não nos vemos — comentou a sra. Carstairs.

— Desde o casamento de Llewellyn.

— É mesmo. Moira, aliás, estava um desastre de dama de honra, com aquele vestido cor de abricó.

— Na verdade, nenhuma delas estava bem.

— Hoje em dia os casamentos não são mais tão bonitos... as noivas usam o que lhes dá na telha! Há uns dias uma amiga foi a um casamento em que o noivo estava de terno branco de cetim brocado e uma blusa de renda valenciana. É possível? A noiva estava de terno branco, também, mas o detalhe eram as aplicações de *pois* verde. Eu, se fosse o pastor, barrava a entrada dos dois.

O chá foi servido, e as duas continuaram a conversar.

— Encontrei com minha afilhada Celia Ravenscroft há uns dias. Lembra-se dos pais dela?

— Os Ravenscroft? Deixe-me ver... ah! sim... uma tragédia meio confusa, não foi? Suicídio ou coisa parecida... perto da casa em que moravam.

— Você sempre teve uma excelente memória, Julia! — aplaudiu a sra. Oliver.

— Sempre — concordou a sra. Carstairs —, embora nunca me lembre do nome das pessoas. Foi realmente uma grande tragédia.

A sra. Oliver assentiu em silêncio.

— Eu tinha um primo — prosseguiu a sra. Carstairs — que morava perto dos Ravenscroft, quando eles moravam na Malásia. Lembra-se de Roddy Foster? O general Ravenscroft teve uma brilhante carreira no Exército! Quando se aposentou, estava ficando um pouco surdo.

— Você se lembra bem deles?

— Claro. A gente não esquece os velhos amigos, esquece? Ainda mais eles que moraram cerca de cinco ou seis anos em Overcliffe.

— Como era o primeiro nome dela?

— Margaret, se não me falha a memória. O apelido era Molly... é... o nome dela era Margaret. Naquela época, todo mundo se chamava Margaret. Lembro-me também de que ela usava sempre uma peruca...

— É mesmo — concordou a sra. Oliver.

— Creio mesmo que ela tentou me convencer a comprar uma! Dizia que não existia nada mais prático. Tinha uma para viajar, outra para sair à noite, e uma outra, veja que estranho, que podia ser usada com chapéu, pois não desarrumava o cabelo.

— Eu não os conhecia tão bem quanto você — interveio Ariadne. — Quando ocorreu a tragédia, eu estava nos Estados Unidos, dando umas conferências, de maneira que não sei bem os detalhes sobre o suicídio.

— No fim, deu uma grande confusão, e ninguém ficou entendendo nada.

— Mas houve uma investigação, não houve? O que disseram?

— Claro que houve uma investigação! — respondeu a sra. Carstairs com impaciência. — A polícia fez uma série de investigações, para ser precisa, mas infelizmente não conseguiram apurar quem matou o outro, e nem mesmo por quê. Tanto é possível que o general tenha assassinado a mulher antes de se suicidar, como seria possível que Molly tivesse assassinado o marido antes de se matar! Para mim foi um pacto de morte, porém o veredicto oficial da polícia não chegou à conclusão alguma.

— A hipótese de ser um crime foi afastada?

— Definitivamente, uma vez que não havia pegadas ou sinal algum de outra pessoa no local. O casal, como era costume, saiu para dar uma volta depois do chá. Como não voltaram, o jardineiro ou o mordomo, não sei bem, saiu para procurá-los e encontrou-os mortos, com um revólver entre os dois.

— O revólver era dele?

— Era. Existiam dois revólveres na casa. Dizem que todos os militares aposentados têm esta mania, talvez influenciados pela atual onda de assaltos, sei lá! O outro revólver foi encontrado na gaveta da cômoda, o que prova que ele saiu armado para passear. Creio que foi ele quem levou o revólver, porque francamente não vejo Molly saindo para dar um passeio, carregando um revólver na bolsa.

— Também não acho provável.

— Por outro lado, nada indicava que os dois fossem incompatíveis ou estivessem brigados, ou mesmo que tivessem um motivo para querer morrer. O certo é que a gente nunca sabe as infelicidades íntimas das pessoas.

— É bem verdade — concordou a sra. Oliver. — A gente não sabe, mas, às vezes, tem alguma ideia...

— Bem, geralmente quando ocorre uma coisa dessas, a gente fica se perguntando!

— E qual poderia ter sido o motivo?

— Talvez ele estivesse com alguma doença ou soubesse que ia morrer de câncer, embora o laudo médico desmentisse esta possibilidade. O general era um homem relativamente saudável, que tinha um problema cardíaco qualquer... parece que teve um enfarte, mas estava totalmente recuperado. Molly, por outro lado, sofria dos nervos, sempre fora neurótica.

— Tenho uma vaga lembrança — disse a sra. Oliver —, mas não a conhecia bem. Diga-me, ela estava de peruca quando morreu?

— Bem, não sei. Não me lembro. A verdade é que ela estava sempre de peruca.

— Foi uma ideia que eu tive — disse a sra. Oliver. — Veja bem, se eu resolvesse me matar ou matar o meu marido, não lembraria de usar uma peruca.

As duas discutiram por uns instantes esta hipótese.

— Na realidade, Julia, o que você acha que aconteceu?

— Como eu disse: a gente se pergunta, e as pessoas dizem coisas...

— Sobre ele ou sobre ela?

— Diziam que havia uma moça que tinha sido secretária dele. Parece que o general estava escrevendo sua biografia, que tinha sido encomendada por um editor, e ela tomava notas. Diziam, bem... você sabe o que as pessoas dizem às vezes, que ele andava meio envolvido com essa moça. Para ser precisa, não era muito jovem. Devia ter cerca de trinta e poucos anos e nem era bonita. Também não houve nenhum escândalo por causa disso, mas diziam que ele tentou matar a mulher para poder casar com essa secretária. Pessoalmente, não acredito nesta história.

— Em que você acredita, afinal?

— Acho que a mulher foi a causadora.

— Será que ela tinha um amante?

— Ouvi comentários quando eles ainda moravam na Malásia. Diziam que ela havia se metido com um rapaz, bastante jovem, que o marido tinha ficado furioso e que os vizinhos haviam se ocupado bastante do caso. Como foi há anos, não se falou mais nisso!

— Isto é, quando eles voltaram para a Inglaterra, não se soube de caso algum? Que eles tivessem brigado ou discutido?

— Parece que não. Na época, li tudo que os jornais publicaram, e nós, que éramos amigos do casal, discutimos o caso, achando que uma tragédia dessas geralmente só podia estar relacionada com um caso amoroso.

— Mas não ficou nada provado? E as crianças? Uma delas é minha afilhada, você sabe?

— Sei. O menino era interno num colégio; a menina, que devia ter uns 12 anos, estava num pensionato na Suíça.

— Não existia nenhuma loucura na família?

— Como a história daquele rapaz que matou o pai em Newcastle? Lembra-se? Um menino que andava deprimido e tentou se enforcar. Anos depois, já na universidade, um belo dia matou o pai a tiros. Até hoje ninguém sabe por quê. De qualquer maneira, não existe semelhança alguma deste caso com os Ravenscroft. Disso tenho certeza. O que eu me pergunto é...

— Sim, Julia?

— Se não existia realmente um outro homem.

— Você acha que ela...?

— É muito provável. Ainda por cima aquela mania de trocar de perucas.

— Não vejo a relação.

— Para ficar mais jovem, ora!

— Ela devia ter uns 35 anos, mais ou menos.

— Mais. Trinta e seis. Lembro-me de que um dia ela me mostrou as perucas. Uma, especialmente, lhe ia muito bem. Além disso, ela vivia cheia de maquiagem. Essa preocupação com a aparência começou depois que eles voltaram para a Inglaterra. Aliás, ela era uma mulher muito bonita.

— Você acha que ela tinha conhecido algum homem?

— Acho — respondeu a sra. Carstairs. — Além do mais, quando um homem casado começa a namorar, logo todo mundo descobre. Já uma mulher casada sabe ser muito mais discreta...

— Então, será que foi isto, Julia?

— Pode ser, se bem que eu não tenha certeza e nunca me tenham dito nada. Nem os empregados, nem o jardineiro, nem o motorista do ônibus, ou mesmo um vizinho.

Porque nesses casos sempre há alguém que vê alguma coisa! O que pode ter acontecido é que o general tenha descoberto.

— Um crime passional?

— Acho que sim...

— Nesse caso, foi ele quem matou a mulher e depois se suicidou.

— É o que eu acho. Se fosse ao contrário, isto é, se ela estivesse querendo se ver livre dele, não creio que fossem dar um passeio e, além do mais, ela teria que sair de bolsa para poder levar o revólver. Enfim, a gente também precisa ver o lado prático das coisas!

— Tem razão — concordou a sra. Oliver.

— Para você — continuou a sra. Carstairs —, tudo isso deve ser interessante por causa das novelas policiais. Acho que teria mais imaginação do que eu para supor o que realmente aconteceu.

— No caso não tenho ideia alguma — explicou a sra. Oliver —, porque não fui eu que escrevi a história. Nos meus livros as coisas acontecem porque eu quero que aconteçam. Não têm nada a ver com a realidade. Estou interessada na sua opinião sobre o caso porque você conhecia bem o casal, e eles talvez lhe tenham dito alguma coisa elucidativa.

— O que você disse me traz de volta uma lembrança.

A sra. Carstairs reclinou-se para trás, sacudiu a cabeça, fechou os olhos e pareceu entrar em coma. A sra. Oliver assumiu uma atitude semelhante à de uma dona de casa que aguarda ansiosamente o pronunciamento do apito de uma panela de pressão.

— Uma vez ela me disse uma coisa, e eu fiquei me perguntando aonde ela queria chegar — disse finalmente a sra. Carstairs. — Tinha algo a ver com o começo de uma vida nova. Sei que estava relacionado com santa Teresa D'Ávila.

A sra. Oliver olhou para a velha com espanto.

— Mas o que santa Teresa D'Ávila tinha a ver com isso?

— Não sei. Acho que ela andou lendo um livro sobre santa Teresa. Sei que ela estava maravilhada com a capacidade que as mulheres têm de recomeçar e de reconstruir. Não foram bem estes os termos que ela empregou, mas foi uma coisa parecida. Você sabe, quando uma mulher chega aos quarenta ou cinquenta sempre cisma de mudar de vida. Foi o que aconteceu com Teresa D'Ávila, que até os quarenta tinha se limitado a ser uma freira comum. Um belo dia, deu-lhe uma coisa, e ela reformou os conventos, gritou, berrou, escreveu livros e acabou virando santa.

— Bom, mas não é bem a mesma coisa.
— Sei que não é — resmungou a sra. Carstairs. — Mas as mulheres, quando estão apaixonadas, acham que vão recomeçar outra vida, que nunca é tarde demais!

5
Volta à infância

A sra. Oliver ficou parada diante dos três degraus da velha e maltratada casinha. Notou com prazer as tulipas em flor ao redor das janelas. Verificou no caderninho o endereço, certificou-se do nome da rua e, em seguida, delicadamente, deu três pancadinhas na porta, depois de ter desistido de tocar a campainha. Como não tivesse obtido resposta, bateu novamente, mais forte, e ouviu passos se arrastando, uma respiração asmática e finalmente assistiu a uma luta um tanto inglória da dona da casa tentando abrir a porta.

— Que inferno! Encrencou de novo!

Finalmente a porta desemperrou e abriu-se vagarosamente. Uma senhora muito idosa, toda enrugada, bastante reumática, encarou a visitante. Seu rosto não mostrava satisfação, nem medo; talvez um pouco de desprezo por virem perturbar a paz de uma castelã inglesa. A velha devia estar com setenta ou oitenta anos, mas ainda era a defensora fiel do seu lar.

— Não sei o que deseja... oh! srta. Ariadne! Ora, vejam só! Srta. Ariadne!

— Que bom ter me reconhecido! Como vai, sra. Matcham?

— Imagine se eu não ia reconhecer a srta. Ariadne!

"Há tanto tempo não sou chamada de srta. Ariadne", pensou a sra. Oliver.

— Entre, minha filha — disse a velha. — Entre. Você está linda! Acho que faz uns 15 anos que não nos vemos. Fazia muito mais, mas a sra. Oliver achou melhor não fazer correções. Entrou e notou que a sra. Matcham tinha as mãos tão trêmulas que se recusavam a obedecer às ordens da dona. Ela fechou a porta com esforço e, arrastando os pés, conduziu a sra. Oliver para uma saleta, onde recebia as poucas pessoas que vinham visitá-la. Num canto, uma enorme coleção de retratos autografados de bebês, jovens e adultos; alguns com os porta-retratos de couro manchados e estriados pelo tempo. Um porta-retrato de prata, também manchado, chamou a atenção da sra. Oliver pela imponência do modelo vestido de gala para uma apresentação na corte. Outros retratos de oficiais da Marinha, do Exército, de bebês deitados sobre peles estavam espalhados por todos os cantos. Atendendo ao convite da sra. Matcham, a sra. Oliver sentou-se numa poltrona, enquanto a dona da casa se refestelava num sofá, tentando encaixar uma almofada nas costas.

— Imagine, vê-la aqui! Continua escrevendo suas belas histórias?

— Sim — respondeu a sra. Oliver, indecisa diante do adjetivo "bela" relacionado com novelas policiais.

— Estou sozinha agora — disse a sra. Matcham. — Lembra-se da minha irmã Gracie? Morreu ano passado de câncer. Quando a operaram, já era tarde demais.

— Sinto muito.

Durante dez minutos conversaram sobre os parentes mortos da sra. Matcham.

— E você, está bem? Casou-se, não é? Ah! é mesmo, seu marido já morreu há anos... Enfim, o que está fazendo por estas bandas?

— Estava pela vizinhança e resolvi dar uma passada por aqui, para saber as novidades...

— E falar sobre o passado, talvez? Afinal, às vezes, até que é bom, não é?

— Eu acho ótimo — respondeu aliviada a sra. Oliver, pois justificava plenamente com esta resposta a razão da sua visita. — Sua casa está cheia de fotografias...

— É mesmo. — A velha sra. Matcham sorriu. — Quando eu estava no asilo, aquele chamado Lar do Crepúsculo ou coisa parecida, só consegui ficar um ano e meio porque a gente não podia ter nada pessoal, tudo era do Lar. Não vou dizer que a gente estivesse mal-instalada, mas eu sempre gostei de minhas coisas, principalmente meus retratos e minha mobília. Um dia apareceu uma senhora, muito distinta, do Conselho Deliberativo e me disse que existiam estas casinhas onde a gente podia morar e ter seus objetos. Além disso, tem uma assistente social que vem diariamente ver se está tudo bem. Estou ótima aqui, muito bem mesmo.

— Os objetos vêm de todas as partes do mundo — comentou a sra. Oliver, olhando em volta.

— Esta mesa de bronze foi o capitão Wilson quem mandou, lá de Cingapura. Isto aqui é um bronze de Benares. Bonito, não? Aquela coisa estranha ao lado do cinzeiro é do Egito. É um escaravelho feito de uma pedra que dizem ser preciosa... Lapus... lapas...

— Lápis-lazúli — disse a sra. Oliver.

— Isto mesmo. Lindo, não é? Foi presente de um dos meninos que eu criei e que virou arqueólogo.

— Enfim, todo o seu passado — comentou a sra. Oliver.

— Todos os meus meninos e meninas. Uns que eu pegava quando bebês, outros já com meses e alguns até mais velhos. Uns na Índia, depois no Sião.[5] Veja o retrato da srta. Moyna vestida para um baile da corte. Como era bonita! Divorciou-se duas vezes! Primeiro do Lord e depois de um cantor de rock, com quem viveu pouco tempo. De-

---

[5] Atual Tailândia. (N.E.)

pois ela se casou com um milionário americano e mudou-se para a Califórnia. Tinham até um iate! Morreu há dois anos com apenas 62 anos. Pena morrer tão jovem!

— A senhora viajou muito, não? Esteve pela Índia, Hong Kong, Egito, América do Sul...

— É, andei por tudo isso.

— Eu me lembro — disse a sra. Oliver —, quando estava na Malásia encontrei a senhora trabalhando para a família de um general, não foi? Seria o general Ravenscroft?

— Não era esse o nome. Você está confundindo com os Barnaby, na casa de quem ficou hospedada. Não se lembra mais? Você estava fazendo uma excursão e ficou uns tempos na casa deles. O sr. Barnaby era juiz.

— É mesmo. A gente acaba confundindo os nomes.

— Eles tinham dois filhos — continuou a sra. Matcham. — O menino e a menina acabaram vindo estudar na Inglaterra, e eu fui trabalhar com outra família. As coisas hoje em dia mudaram por aqueles lados. Não é mais fácil arranjar empregados nativos. Qual foi mesmo o nome que você falou? Ravenscroft! Lembro deles. Só esqueci o bairro em que moravam... sei que não era distante de casa, pois volta e meia vinham nos visitar. E ainda estava com os Barnaby quando se deu aquela desgraça. A sra. Barnaby tinha embarcado com as crianças para interná-las num colégio, e eu fiquei com o juiz para tomar conta da casa. Foi nessa época... nunca mais vou esquecer. Ah! sim, a desgraça ocorreu com os Ravenscroft, não com os Barnaby... naturalmente eu não tive nada a ver com a história, mas lembro bem dos comentários.

— Deve ter sido horrível — disse a sra. Oliver sem a menor convicção.

— Aconteceu depois que você embarcou. Aliás, bastante tempo depois. Era um casal tão simpático, e deve ter sido um choque terrível para eles.

— Não lembro bem do que aconteceu — disse a sra. Oliver devorada pela curiosidade.

— Sei que a gente esquece certas coisas. Disseram que ela era meio estranha, que desde criança era esquisita. Só sei que tirou um bebê do berço e atirou-o num rio. Comentaram que ela queria mandar a criança para o céu com a maior urgência possível.

— Está se referindo a Lady Ravenscroft?

— Não, claro que não. Você não lembra da irmã?

— Irmã?

— Não sei bem se era irmã dele ou dela. Só sei que esteve anos internada num manicômio... desde os 11 anos de idade. Finalmente foi dada como sã e liberada. Casou com um militar, e aí começaram novamente os problemas. Para encurtar a história, voltou para o hospício. Dizem que tratam bem as pessoas nesses lugares, que até têm quartos independentes, sala de visitas etc. O casal Ravenscroft ia sempre visitá-la. Os filhos da doente foram criados por outras pessoas por motivos óbvios. Um dia, a pobre criatura teve alta novamente e voltou para casa. O marido morreu logo depois, deixando-a prostrada; ela então mudou-se para a casa do general, onde ficou muito bem, cuidando das crianças que ela adorava. Sei que não foi o menino, pois ele estava no colégio; acho que foi a menina e uma amiguinha que estavam na casa. Não me lembro dos detalhes porque esta história é muito antiga. Só sei que deu muito o que falar, e até disseram que não tinha sido ela a autora do crime e sim uma nativa que adorava as crianças e que vivia dizendo para afastarem a mulher, pois as crianças estavam em perigo. Até acontecer a tragédia, ninguém prestou atenção, mas é claro que tinha sido a ex-louca a autora. Só não consigo lembrar o nome dela...

— Que fim levou essa irmã do general ou de Lady Ravenscroft?

— Foi levada por um médico para Londres e internada. Não sei se no mesmo hospício, mas sei que trataram bem dela. Afinal dinheiro para isso eles tinham. Também não sei se ela ficou boa. Com o tempo, perdi interesse pelo caso e, se não fosse falar nos Ravenscroft, eu provavelmente não lembraria mais desta história toda. O general por esta altura já deve estar aposentado.

— A senhora não leu os jornais?

— Leu o quê? — perguntou a sra. Matcham.

— Que eles compraram uma casa em Londres...

— Ah! é mesmo. Lembro de ter lido uma notícia nos jornais... mas não sei por que não a associei ao general. Parece que eles caíram num penhasco, não foi?

— Mais ou menos — respondeu a sra. Oliver.

— Agora, vamos tomar um chá.

— Não, muito obrigada — disse a sra. Oliver.

— Claro que vai tomar uma xícara de chá. Venha comigo para a cozinha, é lá que passo o dia inteiro... é o melhor lugar da casa. Só trago minhas visitas para cá para poder exibir meus troféus.

— Deve ser maravilhoso ter ajudado a criar tanta gente.

— É mesmo. Lembro de quando você era pequena. Como gostava de ouvir histórias. A do tigre, aquela dos macacos, lembra? Os macaquinhos que viviam nas árvores?

— Lembro-me, sim — disse a sra. Oliver voltando à infância, quando tinha uns cinco ou seis anos; as botas apertadas, ouvindo da babá, a sra. Matcham, histórias sobre a Índia e o Egito.

Foi para a cozinha, mas antes deu mais uma olhada para a imensa coleção de retratos. Meninos, meninas, jovens e adultos, todos metidos nas melhores roupas, dedicando seu carinho à inesquecível babá. Por isso a sra. Matcham vivia hoje, em relativo conforto, na sua casinha, ajudada por todos que não esqueceram da pessoa que lhes guiara os primeiros passos. A sra. Oliver sentiu uma vontade enorme de chorar, mas conseguiu se controlar e seguir a boa sra. Matcham até a cozinha. A babá apanhou do armário uma latinha de chá e mostrou à sra. Oliver.

— Como se lembrou da minha marca favorita? Sabe que não tenho encontrado com facilidade? Não vai dizer que tem aqueles biscoitos também? Tem? Que maravilha!

— Você também tem boa memória.

— Não tão boa quanto a sua, querida sra. Matcham. Como era mesmo o apelido que aqueles meus amiguinhos me deram? Ah! sim, Dona Elefante, porque eu não esquecia de nada, mas vejo que a senhora também não — concluiu a sra. Oliver, comovida.

— Ah! — suspirou a sra. Matcham. — Há um velho ditado que diz que os elefantes não esquecem!

6
A SRA. OLIVER EM CAMPO

A sra. Oliver entrou na farmácia Williams & Barnett e começou a procurar a seção de cosméticos. Primeiro deparou com uma prateleira cheia de remédios para calos; depois com um balcão repleto de medicamentos, até chegar ao mundo mágico de sonho e promessa criado por Helena Rubinstein, Elizabeth Arden e Max Factor.

Dirigiu-se a uma balconista gorducha e simpática e pediu um batom.

— Marlene! — exclamou em seguida. — Você não é a Marlene?

— Claro que sou! Que surpresa, sra. Oliver! As moças vão ficar loucas quando souberem que a senhora esteve aqui fazendo compras.

— Então é melhor não dizer para elas — aconselhou a sra. Oliver.

— Mas elas vão querer seu autógrafo!

— Mais uma razão para mantermos segredo da minha presença. Como vai você?

— Indo — respondeu Marlene.

— Não sabia que você ainda estava trabalhando aqui.

— Não estou mal neste emprego. Eles pagam direito e têm muita consideração com a gente. No ano passado tive um aumento e fui promovida à subchefe de seção.

— E sua mãe, como vai?

— Vai bem. Ela vai ficar contente em saber que a senhora esteve aqui.

— Ela ainda está morando naquela casa perto do hospital?

— Estamos, sim. Papai é que não anda bem. Esteve internado por uns tempos. Mamãe está ótima. A senhora está morando por aqui?

— Não, não. Vim visitar uma amiga que mora aqui perto — respondeu a sra. Oliver, olhando o relógio.

— Será que, por acaso, sua mãe estaria em casa agora? Gostaria de vê-la, conversar com ela, antes de voltar para casa.

—Vá mesmo, ela vai ficar contentíssima! Infelizmente não posso sair agora; eles não iam gostar. Se a senhora quiser me esperar mais uma meia hora...

— Não será preciso, eu vou sozinha. Qual é mesmo o número? Dezessete, não é? A rua tem nome?

— Fica no Conjunto Laurel.

— É isso mesmo. Muito obrigada. Prazer em vê-la.

A sra. Oliver despediu-se correndo, levando na bolsa um batom de que não necessitava. Com destreza, manejou o carro pelas ruelas, passando por uma garagem, um hospital, até chegar ao Conjunto Laurel, onde estacionou.

Uma senhora magra, forte, de cabelos grisalhos, aparentando uns cinquenta anos, abriu a porta, reconhecendo imediatamente a sra. Oliver.

— Que prazer revê-la. Quanto tempo!

— É verdade.

— Entre, entre. Aceita alguma coisa?

— Obrigada, mas acabei de tomar chá na casa de uma amiga e tenho que voltar para casa antes do jantar. Por acaso encontrei Marlene na farmácia e não resisti, tive que dar um pulo até aqui.

— Ela tem um ótimo emprego. Os patrões a adoram, admiram principalmente sua energia e iniciativa.

— Que bom. E como vai você? Está com ótima aparência, nem um dia mais velha!

— E estes cabelos brancos? Além do mais, emagreci muito.

— Hoje foi meu dia de encontrar velhos amigos — disse a sra. Oliver, entrando numa sala de visitas, um tanto entulhada de objetos e móveis. — Lembra-se de Julia Carstairs?

— Claro que me lembro. Ela deve estar bem idosa.

— Está, sim — concordou a sra. Oliver. — Ficamos recordando o passado e nos lembramos de uma tragédia que ocorreu quando eu estava nos Estados Unidos. Um casal chamado Ravenscroft.

— Lembro-me deles perfeitamente.

— Trabalhou para eles, não foi, Buckle?

— Trabalhei. Costumava arrumar a casa três vezes por semana. Um casal muito simpático, gente de educação.

— Que horror o que aconteceu!

— Foi mesmo.

— Você ainda estava trabalhando para eles?

— Não, já tinha largado o emprego por causa da minha tia Ema que veio morar comigo. Como era quase cega e estava doente, eu não tinha tempo para trabalhar fora. Saí do emprego um mês ou dois antes do crime.

— Foi um pacto de morte, me disseram...

— Não acredito — respondeu a sra. Buckle, enfaticamente. — Tenho certeza de que eles não cometeriam suicídio. Se davam tão bem! A verdade é que estavam morando naquele lugar há pouco tempo.

— Moraram antes em Bournemouth, não foi?

— Mas ficava muito distante de Londres, por isso compraram aquela casa. Aliás, uma gracinha, com jardim e tudo.

— Eles gozavam de boa saúde?

— O general parecia sentir um pouco o peso dos anos, o que era natural. Teve um enfarte ou coisa parecida; mas vivia tomando remédios e fazendo dieta.

— E ela?

— Acho que sentia falta da vida que levava no exterior. Eles não conheciam muita gente por aqui. Lá fora não existe problema de empregados, e as pessoas viviam dando festas.

— Você acha que ela sentia falta das festas?

— Bem, não sei.

— Disseram-me que ela usava peruca.

— É, tinha várias — respondeu a sra. Buckle, sorrindo ligeiramente. — Todas caríssimas e de excelente qualidade. Vivia mandando uma das perucas para o cabeleireiro em Londres para pentear ou remodelar; usava vários penteados. Tinha uma peruca ruiva; outra cinza, cheia de cachos, que lhe ia muito bem. As duas outras eram para bater, para dias de chuva etc. Ela vivia preocupada com a moda e gastava um dinheirão com roupas.

— O que você acha que causou a tragédia? — perguntou a sra. Oliver. — Como eu estava fora na época, não sei de nada a respeito; além do mais, não é propriamente um assunto que se possa discutir por carta ou telefone. No entanto, estou certa de que houve um motivo. Sei que o revólver era do general.

— Ele tinha dois revólveres em casa por medida de segurança. No fundo, acho que ele tinha razão, embora nunca tivesse tido problema de assalto ou furto na casa. Lembro-me de uma tarde quando apareceu um sujeito mal-encarado que queria falar com o general, dizendo ter sido do seu regimento. O general falou com ele uns minutos e despachou o cara.

— Na sua opinião, o crime foi cometido por algum estranho?

— Quem mais poderia ser? Sem esquecer do jardineiro, em quem eu não tinha a menor confiança. Não vinha bem-recomendado e parece que esteve preso algumas vezes. O general naturalmente resolveu dar-lhe uma oportunidade.

— Então você acha que foi o jardineiro?

— Foi o que sempre pensei, mas posso estar enganada. Só não me convenço das histórias de que ele ou ela tenha se suicidado por causa de um amor ou de um escândalo. Não, para mim foi um estranho. Basta a gente abrir um jornal, hoje em dia, e ler! Esta história aconteceu há tempos, antes que essa mania de violência se generalizasse. Atualmente, meninos tomam drogas, matam pessoas sem a menor explicação ou então um rapaz convida uma moça para um drinque e, no dia seguinte, ela é encontrada morta numa vala. Para não falar em crianças raptadas etc. Não há mais freio nem barreiras no mundo. Portanto, não é de estranhar que, quando o general tenha ido dar uma volta com a esposa, um louco os tenha assassinado.

— Os tiros foram na cabeça?

— Não me lembro, nem vi os corpos, é claro! Só sei que saíram para dar uma volta como costumavam fazer diariamente.

— Por acaso não teriam brigado?

— Às vezes discutiam, mas qual o casal que não discute?

— Algum flerte?

— Era o que diziam, mas para mim isso era falatório de quem não tem o que fazer. Os dois eram muito corretos.

— Quem sabe um deles estava doente?

— Sei que Lady Ravenscroft esteve em Londres uma ou duas vezes se consultando, e ouvi dizer que ia para um hospital para se operar, mas não me disseram de quê. Sei que esteve internada, mas não houve operação alguma. Voltou para casa até mais jovem, muito bem-tratada e com aquela peruca de cachos que lhe ficava tão bem. Era como se tivesse adquirido vida nova.

— E o general?

— Um homem muito distinto, de quem nunca ouvi falar mal. As pessoas sempre encontram o que criticar quando ocorre um crime ou uma desgraça. Soube que, quando ele estava na Malásia, sofreu um acidente. Parece que caiu e bateu com a cabeça numa quina. Eu tinha um tio que caiu do cavalo e bateu com a cabeça no cano de um canhão. Nunca mais foi o mesmo! Passava bem uns seis meses, mas depois voltava para o asilo porque queria matar a mulher. Dizia que ela o perseguia e que era uma espiã estrangeira. Para a senhora ver que todos nós carregamos a nossa cruz.

— De qualquer maneira, você não acredita nos boatos de que eles estavam brigados e por isso se mataram.

— Eu, não.
— As crianças estavam em casa na época?
— Não. A menina se chamava... Rosie... não! Penelope?
— Celia. É minha afilhada.
— É mesmo. Agora me lembro de que a senhora veio uma vez buscá-la para passear. Era uma menina inquieta, mal-humorada, mas que adorava os pais. Não, na época ela estava no colégio na Suíça, o que foi uma sorte! Já imaginou o choque que ela ia ter se estivesse em casa?
— O casal tinha um filho também, não?
— Sim, um menino chamado Edward. O pai vivia preocupado com ele, os dois não se davam muito bem.
— É uma fase muito comum nos garotos. E com a mãe?
— Ela se preocupava demais com ele, e minha impressão é de que os meninos não gostam muito de conselhos do tipo: vista o suéter, penteie o cabelo, se agasalhe bem. Já o pai criticava o comprimento do cabelo. Naquela época, a rapaziada não andava como hoje, mas já estavam começando.
— Quando ocorreu a tragédia o menino não estava em casa?
— Não.
— Deve ter sido um choque horrível para o garoto também.
— Imagino que sim — respondeu a sra. Buckle. — Não sei bem como as crianças reagiram porque nessa época eu já não trabalhava mais lá. Voltando ao jardineiro... como era mesmo o nome dele? Fritz? Não. Fred Wizell! Um nome assim... me parece que ele havia feito qualquer roubalheira, e o general ia despedi-lo. Juro para a senhora que não ficaria espantada se dissessem que foi ele o assassino.
— Matar o marido e a mulher?
— Seria mais lógico se ele só matasse o general. Mas imagine se nesse momento surgiu a mulher? Ele teria que matá-la também! Já li isso em vários romances policiais...
— Eu também — concordou a sra. Oliver.
— Tinham também um professor...

— Professor?

— Para o menino, que tinha sido reprovado ou ficado em segunda época. Por isso contrataram um professor particular. Ficou lá com eles um ano inteiro; acho que Lady Ravenscroft gostava dele porque ambos adoravam música. O nome do professor era Edmund. Um sujeito muito desenxabido... eu e o general não íamos muito com a cara dele.

— Mas Lady Ravenscroft ia?

— Como eu disse, eles tinham afinidades. Foi ela quem escolheu o professor, que era realmente excelente... um homem muito bem-educado e...

— E o menino?

— Edward? Adorava o professor como se ele fosse um deus. Só sei que a senhora não deve dar ouvidos ao que dizem sobre os namoros do general com aquela lambisgoia que era sua secretária. Nem pense nisso. O assassino devia ser alguém de fora, se bem que a polícia não tivesse conseguido pegar ninguém; dizem que viram um carro rondando a casa, horas antes, mas não se chegou à conclusão alguma. Na minha opinião, deviam procurar o culpado entre as velhas amizades do casal, alguém que eles conheceram na Malásia ou assim que voltaram para a Inglaterra.

— Qual era a opinião do seu marido? — perguntou a sra. Oliver. — Ele não os conhecia melhor do que você, mas quem sabe não ouviu algo de interessante sobre o caso...

— Que ouviu, ouviu! Diziam que ela bebia, que retiraram caixas de garrafas vazias da casa quando ela morreu. Mentira, isso eu posso garantir. Falam de um sobrinho que aparecia de vez em quando, mas acho que não teve nada com o crime, tanto é que a polícia foi da mesma opinião.

— Não havia outra pessoa qualquer morando com eles?

— Ela tinha uma irmã, que costumava se hospedar com eles. Meia-irmã, parece, não sei direito, mas era muito parecida com Lady Ravenscroft. Quando ela aparecia, o casal brigava e eu sempre achei que fosse por causa dela. A senhora conhece esse gênero de pessoas que estão sempre criando caso, não conhece?

— Lady Ravenscroft gostava dela?

— Não sei dizer. Acho que a irmã se impunha e Lady Ravenscroft aturava para não criar mais confusão. O general gostava de jogar cartas e xadrez com essa cunhada. No fundo, ela era bem divertida. O nome dela era sra. Jerryboy e devia ser viúva... Sei que vivia pedindo dinheiro emprestado a ele...

— Você gostava dela?

— Para ser franca, não. Aliás, eu a detestava porque não gosto de fofoqueiras. Muito antes do crime, ela parou de aparecer. Eu não saberia descrever como ela era; sei que tinha um filho em quem não achava muita graça, mas que às vezes trazia para visitar a irmã.

— Bom — concluiu a sra. Oliver —, creio que jamais saberemos a verdade. Depois de tanto tempo! Encontrei com minha afilhada outro dia.

— É mesmo? E como vai ela?

— Parece muito bem. Está pensando em se casar. De qualquer maneira, ela...

— Tem um namorado? — perguntou a sra. Buckle, antecipando a frase da sra. Oliver. — Tomara que dê certo, se bem que a gente não deve se casar com os príncipes encantados...

— Você conhece uma senhora chamada Burton-Cox?

— Burton-Cox? Já ouvi este nome, mas não sei se a conheço. Seria uma das vizinhas? Não, não me lembro, se bem que o nome não me seja estranho. Seria alguma conhecida do general nos tempos em que morava na Malásia? Francamente não sei.

— Bom, chega de conversa fiada — disse a sra. Oliver, levantando-se. — Foi ótimo rever você. Dê um grande abraço na Marlene.

7
Resultados do safári

— O telefonema foi para o senhor — anunciou George. — Era a sra. Oliver.

— Ela deixou algum recado?

— Ela quer saber se o senhor vai ficar em casa hoje depois do jantar.

— Estarei — respondeu Poirot. — Tive um dia exaustivo, mas uma conversa com a sra. Oliver é sempre uma experiência palpitante; além de ser uma pessoa divertida, ela costuma dizer as coisas mais inesperadas. Ela falou algo sobre elefantes?

— Elefantes? Não, senhor!

— Talvez esteja desapontada com eles — deduziu Poirot.

George olhou para o patrão com surpresa, concluindo que não era nada fácil conviver com uma pessoa tão bizarra quanto o sr. Poirot.

— Por favor, telefone já para ela e diga-lhe que aguardo ansiosamente sua visita.

George voltou, pouco depois, anunciando que a sra. Oliver chegaria antes das nove horas.

— Deixe o café pronto — recomendou Poirot. — E não esqueça os *petits-fours* que eu comprei ontem.

— Quer que sirva alguma bebida?

— Não creio. Para mim pode servir um *sirop de cassis*.

— Pois não, senhor.

A sra. Oliver chegou na hora marcada e foi recebida alegremente por Poirot.

— E como vai *chère* Madame?

— Exausta — disse a sra. Oliver, afundando-se numa poltrona —, completamente morta!

— Ah! *Qui va à la chasse...* como é mesmo este ditado?

— *Qui va à la chasse perd sa place* — completou a sra. Oliver.

— Espero que não seja o seu caso — disse Poirot. — Estou falando em sentido figurado e me refiro à caça aos elefantes, naturalmente.

— Tenho caçado como uma louca. O que já gastei de gasolina, de correio, de tempo é inacreditável!

— Descanse, por favor. Aceita um café?

— Exatamente o que eu estava precisando.

— Posso saber se já obteve algum resultado?

— Já — respondeu prontamente a sra. Oliver.

Ela fez uma ligeira pausa e continuou:

— Para ser exata, obtive vários resultados. Só não sei se vão dar certo.

— Então soube algo de palpável?

— Não. Ouvi o relato de várias pessoas, mas não sei se falaram a verdade.

— Contaram boatos?

— Não, relataram suas memórias. O problema é que nem sempre a gente se lembra das coisas como elas realmente aconteceram.

— É verdade.

— E você, o que fez? — perguntou a sra. Oliver.

— Não seja tão severa, minha cara — respondeu Poirot. — Não comece a me cobrar serviço.

— Então não fez nada?

— Simplesmente renovei alguns contatos com pessoas da polícia.

— Parece como se você estivesse descrevendo um piquenique no campo. — A sra. Oliver sorriu, com ar de superioridade. — O café está excelente, bem forte, como eu gosto. Você não pode imaginar como estou cansada e confusa.

— Calma, calma. Vamos examinar os dados que você colheu.

— Uma série de sugestões e relatos os mais diversificados! Não sei mais o que é verdade e o que é mentira.

— Mesmo as mentiras podem ser úteis — disse Poirot.

— Sei aonde quer chegar. As pessoas se lembram de coisas que não aconteceram, mas que desejavam que tivessem acontecido.

— Mas sempre baseados em alguma coisa palpável — disse Poirot.

— Eu fiz um apanhado geral. Não vai ser necessário explicar como e onde eu obtive essas informações; só posso adiantar que são todas provenientes de pessoas que estavam de uma forma ou de outra ligadas aos Ravenscroft.

— Informações do exterior também?

— Também.

— E cada um tinha um dado ou uma referência diferente sobre o assunto?

— Exatamente — concordou a sra. Oliver. — Vou contar o que sei.

— Sirva-se antes de um *petit-four*.

— Obrigada.

A sra. Oliver escolheu um *petit-four* bem açucarado e devorou-o com sofreguidão.

— Delicioso! — comentou. — Estas coisinhas estão carregadas de glicose e são um manancial de energia. Ah! Poirot, tudo que me contaram começa invariavelmente com "Oh! sim, claro!" ou "Que horror!" ou "Todo mundo comentava", entendeu?

— Sim.

— Essas pessoas acham que sabem o que aconteceu na realidade, mas não estão baseadas em nenhum dado verdadeiramente objetivo. Sempre alguém disse, ou um amigo ou empregado comentou. Tudo como você previu. A saber: o general estava escrevendo as memórias sobre a sua vida na Malásia, auxiliado por uma secretária moça e simpática. Resultado: uns dizem que ele matou a mulher para casar com a secretária... e que, quando cometeu o crime, ficou tão horrorizado que se suicidou...

— Aí está a explicação romântica — comentou Poirot.

— Outros — continuou a sra. Oliver — acham que o professor do filho do casal, um rapaz bonito, aliás, foi...

— Já sei — interrompeu Poirot. — A mulher se apaixonou pelo professor e teve um caso com ele?

— Mais ou menos isso, baseando-se na fértil imaginação dos habitantes daquelas paragens.

— Portanto?

— Portanto existe a versão que atribui o crime ao general, que se matou de remorsos. Outra versão é que a mulher do general descobriu que ele estava de caso com a secretária, matou o marido e depois se suicidou. Com pequenas variações, é o que as pessoas acham; porém, não trazem nada de conclusivo para provar o que dizem. Portanto, o general pode ter tido um caso com a secretária, com outras moças e até com uma mulher casada, e, por outro lado, a esposa pode ter tido um caso com o professor. Cada versão tinha um outro dado, mas nenhum realmente objetivo... no fundo, a repetição dos boatos que correram há 12 ou 13 anos e que acabaram caindo no esquecimento. As pessoas se lembram dos nomes e contam as versões que lhes parecem mais cabíveis: um jardineiro rancoroso que trabalhava na casa; uma velha cozinheira meio cega e meio surda de quem, não sei por quê, ninguém suspeita, e assim por diante. Escrevi todos os nomes e todas as possibilidades. Os nomes de acordo com o que eu ia me lembrando, portanto, podem estar certos ou errados. Outro detalhe: a esposa do general estivera doente, com febre, eu creio, e deve ter perdido o cabelo porque vivia sempre de peruca. Imagine que tinha quatro perucas! E nos seus armários encontraram outras quatro.

— Isto eu já sabia! — comentou Poirot.

— Como?

— Um amigo meu da polícia. Mostrou-me o inventário dos objetos dos falecidos. Quatro perucas! Gostaria de saber sua opinião. Você acha que uma mulher ter quatro perucas é um pouco demais?

A sra. Oliver tirou um caderninho de notas da bolsa e procurou uns apontamentos.

— Ouça o comentário da sra. Carstairs, de 74 anos e meio gagá: "Lembro-me dos Ravenscroft muito bem. Um casal muito simpático. Que tristeza! Ouvi falar em câncer." Eu quis saber se o marido ou a mulher estava com câncer, mas a sra. Carstairs não sabia responder. No fim, lembrou-se de que a mulher estivera em Londres para ir ao médico fazer uma operação e, quando voltou para casa, estava tão deprimida que o marido começou a ficar preocupado. Naturalmente por isso ele a matou.

— Esta teoria é baseada em algum fato?

— Para mim não passa de imaginação. Minha experiência durante essas entrevistas — prosseguiu a sra. Oliver — demonstrou que sempre que algum conhecido vai ao médico é porque está com câncer. Uma das entrevistadas, não consigo ler o nome aqui nas minhas anotações, só sei que a primeira letra é T, disse que era o marido quem estava com câncer, que, portanto, andava muito deprimido. Por essa razão, naturalmente, o casal resolveu se suicidar.

— Triste e romântico — comentou Poirot.

— Além de não ser verdade. É enervante, Poirot. As pessoas se lembram de uma série de coisas inventadas por elas mesmas!

— São as soluções para os mistérios — disse Poirot. — Por exemplo, sabem que o marido foi a Londres consultar um médico, ou que a mulher esteve internada num hospital dois ou três meses. Isto não é imaginação.

— Porém, com o passar dos anos, ao recordar esses fatos, eles acrescentam uma solução fictícia. Isso é que complica o caso.

— Não acho que atrapalhe, apesar de concordar com tudo que você disse sobre os elefantes. É essencial tomar conhecimento de certos fatos que ficaram gravados na memória das pessoas, embora nem elas mesmas saibam por quê, nem que fatos são esses. Acontece que elas podem saber de alguma coisa que nós desconhecemos e não temos meios para descobrir. Por isso essas lembranças podem nos levar a teorias sobre infidelidade, doença, pacto de morte, ciúme, enfim, todos esses sentimentos que lhe foram sugeridos pelos entrevistados. Nossa tarefa, agora, é saber qual dessas teorias é a verdadeira.

— As pessoas gostam de falar do passado — disse a sra. Oliver. — Acham mais fácil falar do passado do que do presente. Começam contando uma série de coisas que você não quer saber, depois discutem sobre o que as outras pessoas achavam de uma outra pessoa desconhecida. É como falar sobre parentes por afinidade, colocando no centro o general e a esposa, passando para um primo em segundo grau etc. Não creio que minhas investigações tenham sido muito vantajosas.

— Não seja pessimista — disse Poirot. — Tenho certeza de que mais tarde essa porção de coisas sem sentido, que você anotou neste caderninho roxo, vão se relacionar com a tragédia em questão. Do ponto de vista policial, posso lhe garantir que o caso foi arquivado como insolúvel. Um casal que se amava, de quem não se conhecia nenhum amante, que não estava doente... estou me referindo, é claro, ao passado imediato do casal, isto é, um pouco antes da tragédia. Mas eles têm um outro passado...

— Sei o que você quer dizer — disse a sra. Oliver. — Uma velha babá que deveria ter por volta de cem anos, mas que está com oitenta, trabalhou no exterior muitos anos: Índia, Egito, Sião e Hong Kong.

— Disse algo de interessante?

— Disse — respondeu a sra. Oliver. — Contou uma tragédia que não sei bem se tem alguma relação com os Ravenscroft; pode ter sido com outro casal, porque essa babá já anda confundindo nomes e datas, além de não se lembrar bem do sobrenome das pessoas. Falou num caso de loucura na família do general. Uma cunhada do general Não sei o quê, ou da mulher desse general. Disse que essa pessoa esteve internada durante anos, porque matou um dos filhos ou tentou matar um dos filhos. Um belo dia, teve alta e foi viver com os parentes no Egito ou na Malásia. Aí ocorreu outra tragédia com uma criança, mas abafaram o caso. Eu me pergunto se não havia na família Ravenscroft um caso de insanidade mental. Mesmo que não seja uma irmã ou um parente tão próximo. Um primo, quem sabe? Poderia ser uma pista!

— Tem razão — concordou Poirot. — Sempre há uma possibilidade de um incidente ser enterrado e um dia ressurgir do passado. Já me disseram, um dia, que os antigos pecados deixam marcas profundas.

— Pode ser que o que a babá me contou tenha alguma relação com o que aquela megera falou no almoço.

— Quando ela perguntou...

— Sim, quando ela queria que eu descobrisse da minha afilhada se foi a mãe quem matou o pai ou se foi o pai quem matou a mãe.

— E ela achava que a menina saberia?

— Podia ser que a menina soubesse. Não exatamente na época da tragédia, porque certamente tentariam protegê-la por ser uma criança, mas nada impede que ela descobrisse certos dados, mais tarde, e viesse a saber quem matou quem. Naturalmente não iria contar para ninguém, nem discutir esse assunto com um estranho.

— Então esta mulher... a sra... como é mesmo o nome dela? Burton qualquer coisa. Um nome assim... lembro que ela falou que o filho tinha intenções de casar com a menina. Queria descobrir se era a mãe ou o pai da futura nora quem possuía instintos assassinos ou caráter psicopata. Naturalmente ela acha que, se a mãe matou o pai, seria desaconselhável o filho casar com a moça; se o pai matou a mãe, não sei por que então não teria tanta importância.

— Como se ela achasse que a tara viesse pela linha materna?

— Não se trata de uma mulher de muita cultura. É uma criatura mandona que acha que sabe tudo e naturalmente deve ter uma teoria própria sobre genética.

— Compreendo — disse Poirot, dando um suspiro. — Isto significa que temos muito que fazer.

— Tenho anotado aqui um outro ângulo da questão — disse a sra. Oliver. — Um boato de que os Ravenscroft talvez tenham perdido um filho e adotado um outro. Um dia a mãe verdadeira resolveu reaver a criança; o caso foi parar na Justiça, que deu ganho de causa aos Ravenscroft. A mãe, não se conformando, raptou a criança.

—Vamos começar pelo lado mais fácil do seu relatório.
— Por exemplo?
— Perucas. As quatro perucas.
— Eu achei essa história fascinante, mas não saberia explicar por quê. Não parece significar coisa alguma. Um outro boato se relaciona com insanidade mental. É claro que os hospícios estão cheios de pacientes que mataram ou tentaram matar seus filhos ou outras crianças. Não vejo como isso pode se relacionar com o suicídio dos Ravenscroft.
— E se um deles fosse o implicado?
—Você acha que o general poderia ter matado um menino ilegítimo da mulher, por exemplo? Acho isso melodramático demais. Ou será que a mulher foi quem matou um filho do general?
— No fundo, as pessoas são o que parecem ser — sentenciou Poirot.
— Como?
— O casal parecia se dar bem, viver em paz. Não há caso de doença além dos boatos de uma operação ou de um câncer, ou de uma leucemia, isto é, um prognóstico negro que eles não suportariam. Mas nós não estamos conseguindo ultrapassar além do *possível* e sim do *provável*. Meus amigos da polícia, que investigaram o caso na época, dizem que as declarações das testemunhas foram compatíveis com os fatos. Portanto, por alguma razão, o casal não quis continuar vivendo. Por quê?
— Conheci um casal durante a guerra — lembrou a sra. Oliver — que tinha certeza de que os alemães iriam desembarcar na Inglaterra e, quando isso acontecesse, tinha decidido se suicidar, por achar que a vida se tornaria impossível. De que serviria esse sacrifício? No entanto, eu me pergunto...
— O quê?
— Se a morte do general e da esposa não beneficiou alguém...

— Alguém que herdou dinheiro, por exemplo?

— Não, nada tão óbvio assim, eu me refiro a uma morte que daria a outra pessoa uma chance de viver melhor. Como se eles não quisessem que os filhos soubessem de algo que eles haviam feito.

Poirot suspirou.

— Seu problema é que você sempre acha uma possibilidade nova. Isso me atrapalha porque me põe coisas na cabeça. Por quê? Por que a morte deles seria de utilidade para alguém? Eles não estavam sentindo alguma dor insuportável; não estavam doentes; não eram infelizes no casamento. Por que então uma bela tarde foram para um penhasco, acompanhados do cachorro...

— O que o cachorro tem com isso?

— Não sei. Também não sei se eles levaram o cachorro ou se este os seguiu. Não sei como o cachorro entra nesta história.

— Junto com as perucas! — disse a sra. Oliver. — Mais um dado inexplicável. Um dos meus elefantes disse que o cachorro adorava Lady Ravenscroft, porém outro informou que ela tinha sido mordida por ele.

— Voltamos à estaca zero — disse Poirot. — Precisamos saber mais, conhecer melhor as pessoas. Isso é difícil dado o número de anos...

— Você já realizou uma proeza semelhante e não foi uma vez só... Lembra-se do pintor que foi morto a tiros ou envenenado perto do mar? Você descobriu quem foi e não conhecia ninguém implicado no caso.

— É verdade, mas formei a história baseado nas pessoas que moravam no lugarejo.[6]

— É o que eu estou fazendo — disse a sra. Oliver —, mas está difícil. Não consigo falar com alguém que saiba, que esteja realmente envolvido no caso. Você acha que devemos desistir?

— Seria inteligente de nossa parte — respondeu Poirot —, mas chegamos a um ponto de que não podemos

---

[6] *Os cinco porquinhos.*

mais recuar. Queremos a verdade! Estou interessado num simpático casal de namorados. Em tempo, eles são simpáticos?

— Não conheço o rapaz — respondeu a sra. Oliver. — Acho que nunca o vi. Você gostaria de conhecer minha afilhada? Poderia dar um jeito de ela vir visitá-lo.

— Gostaria de conhecê-la. Talvez ela não queira vir aqui, mas nós poderíamos forçar um encontro. Seria interessante! Quero conhecer uma outra pessoa também.

— Quem é?

— A mulher do almoço. Aquela sua amiga mandona.

— Mas ela não é minha amiga! — protestou a sra. Oliver. — Ela simplesmente me abordou...

— Mas você poderia telefonar para ela?

— Claro que posso; ela iria vibrar de alegria.

— Preciso saber por que ela quer se informar sobre essas coisas.

— É, tem razão. De qualquer maneira — suspirou a sra. Oliver — vou tomar umas férias de elefantes. Minha babá, de quem já falei, lembrou da memória dos elefantes. A frase está começando a me perseguir. Agora chegou sua vez de procurar uns elefantes.

— E você?

— Eu talvez vá caçar uns cisnes...

— *Mon Dieu*, o que os cisnes têm a ver com esta história?

— Minha babá lembrou que, quando eu era criança, tinha dois amiguinhos que brincavam comigo. Um me chamava de Dona Elefante, e o outro, de Dona Cisne. Quando eu era Dona Cisne, fingia que nadava pelo chão; quando eu era Dona Elefante, tinha que carregar os dois nas costas. Não, Poirot, os cisnes não têm nada a ver com o caso.

— Ainda bem — disse Poirot, aliviado. — Os elefantes já nos dão muito trabalho!

8
Desmond

Dois dias depois, enquanto Hercule Poirot tomava seu chocolate matinal, descobriu entre a sua correspondência uma carta. Leu-a duas vezes. Estava escrita numa letra bastante firme, embora um tanto imatura.

Caro sr. Poirot,
Creio que o senhor vai estranhar receber uma carta de um desconhecido, mas para evitar dúvidas citarei o nome de uma amiga sua. Tentei marcar um encontro com o senhor, por intermédio dela, mas não foi possível, pois ela já havia partido. A secretária da sra. Oliver, a escritora, me informou que a patroa estava num safári na África. Portanto, não creio que ela volte logo. Gostaria de poder vê-lo, pois preciso da sua ajuda e dos seus conselhos.
A sra. Oliver parece que conheceu minha mãe num almoço. Se fosse possível, gostaria de que o senhor marcasse uma hora para eu poder procurá-lo. Estarei disponível na hora que for mais conveniente para o senhor. Não sei se devo mencionar a palavra "elefantes", citada pela secretária da sra. Oliver, mas presumi que esta viajara para a África para caçar elefantes. A secretária falou nesses animais como se estivesse empregando uma senha. Não entendo por quê, mas talvez não seja tão incompreensível para o senhor. Estou preocupado, nervoso e aguardo ansiosamente sua resposta.
Atenciosamente,
Desmond Burton-Cox.

— *Nom d'un petit bonhomme!* — disse Hercule Poirot.
— Como disse? — perguntou George.
— Um simples comentário. Existem engrenagens que, ao movermos uma peça, acionam todo o aparelho. No caso, seriam os elefantes!

Hercule Poirot saiu da mesa, levou a carta para sua secretária, a fiel srta. Lemon, e pediu que respondesse a ela.

— Não ando muito ocupado atualmente. Peça a ele que venha amanhã à tarde.

A srta. Lemon lembrou o patrão de outros compromissos e afiançou que iria fazer o possível para encaixar o sr. Burton-Cox num horário vago.

— Este senhor tem alguma relação com o jardim zoológico? — perguntou a srta. Lemon.

— Não, não fale em elefantes na carta. Não caberiam. Afinal, são animais gigantescos que ocupam muito espaço. Se for o caso, eles aparecerão na conversa que eu vou ter com o sr. Desmond Burton-Cox.

— O sr. Burton-Cox — anunciou George, abrindo a porta da sala de visitas para o convidado.

Poirot levantou-se e ficou parado, perto da lareira, para examinar melhor o rapaz. Assim que formou uma impressão, dirigiu-se para ele. Tratava-se de um moço nervoso, de forte personalidade, um tanto acanhado, apesar de controlar bem a timidez.

— Sr. Poirot? — disse, estendendo a mão.

— Sim — respondeu Poirot —, e o senhor é Desmond Burton-Cox. Por favor, sente-se e diga por que veio e em que posso ajudá-lo.

— Não vai ser fácil.

— Existem coisas difíceis de explicar. Felizmente não temos pressa. Por favor, sente-se.

Desmond encarou Poirot, pensativo. "Que figura estranha!", pensou. A cabeça ovalada, os bigodões, a estatura diminuta; enfim, nada do que esperava encontrar.

— O senhor é um detetive, não é? Quero dizer, descobre coisas. As pessoas vêm ao senhor pedindo que descubra coisas para elas...

— É uma das minhas funções.

— Não sei se o senhor sabe por que vim, ou se sabe algo a meu respeito.

— Sei alguma coisa — respondeu Poirot.

— A sra. Oliver falou sobre mim?

— Ela disse que esteve com uma afilhada, a srta. Celia Ravenscroft.

— É verdade, Celia me falou. O senhor sabe se a sra. Oliver conhece bem minha mãe?

— Não, creio que não. Segundo a sra. Oliver, elas se encontraram num almoço e conversaram uns momentos. Sei que sua mãe pediu uma informação à sra. Oliver.

— Ela não tinha o direito — protestou Desmond, cerrando as sobrancelhas furioso, quase vingativo. — Francamente, essas mães!

— Sei que está na moda falar mal das mães — disse Poirot. — Aliás, acho que sempre esteve. No fundo, elas fazem o que os filhos não querem que elas façam, não é mesmo?

— Claro que é! Minha mãe especificamente se mete sempre onde não é chamada.

— Sei que o senhor e Celia se dão bem e que sua mãe falou à sra. Oliver que pretendem se casar. Já marcaram a data?

— Já, mas preferia que minha mãe não se metesse em assuntos que não lhe dizem respeito.

— Isto é uma prerrogativa das mães. — Poirot sorriu. — O senhor é muito ligado a sua mãe?

— Não... não sou. Bem, para dizer a verdade, ela não é minha mãe.

— Como? Explique-se melhor, por favor.

— Sou filho adotivo. Ela teve um filho, um menino que morreu. Aí, ela me adotou e me criou como filho. Fala e age comigo como se eu fosse filho legítimo. Não somos nada parecidos nem temos grandes afinidades.

— O que é compreensível — disse Poirot.

— Mas não foi por isso que eu vim — disse Desmond.

— O senhor quer que eu descubra algo?

— Sim. Não sei até onde o senhor conhece o assunto, mas está me criando um grande problema.

— Sei pouco — disse Poirot. — Não conheço os detalhes e não sei nada a seu respeito nem sobre a srta. Ravenscroft. Gostaria de conhecê-la.

— Eu ia trazê-la, mas preferi conversar com o senhor antes.

— Qual é o problema? O senhor está desapontado com alguma coisa? Preocupado? Está em dificuldades?

— Não, propriamente. Os problemas não são atuais. O que aconteceu foi há anos, quando Celia era criança. Uma dessas tragédias que acontecem diariamente em qualquer lugar. Duas pessoas que, por uma razão qualquer, resolvem se matar, um pacto de morte, entende? O problema é que ninguém descobriu a razão. Enfim, foi uma tragédia, mas não justifica a preocupação de minha mãe.

— Quando se vive tanto quanto eu, acaba-se descobrindo que as pessoas têm mais interesse pela vida dos outros do que pela própria.

— Mas esse caso foi arquivado. Ninguém ficou sabendo de nada. Minha mãe, porém, fica perguntando e acaba aborrecendo Celia, que já anda tão nervosa que não sabe mais se quer ou não se casar comigo.

— E o senhor? Quer ainda se casar com ela?

— Claro que quero. Nada me fará mudar de ideia. Mas Celia anda preocupada, querendo fazer investigações. Quer saber por que os pais se suicidaram e tem certeza de que minha mãe sabe ou ouviu alguma coisa sobre eles.

— Compreendo seu problema — disse Poirot. — Mas acho que, como são jovens, devem seguir em frente sem se preocuparem com essa tragédia. Já obtive algumas informações e sei que não há explicação para o suicídio. Nunca houve. Infelizmente na vida não encontramos uma explicação satisfatória para todas as tragédias...

— Foi um pacto de morte — disse Desmond —; não pode ter sido outra coisa. Mas...

— O senhor gostaria de saber o motivo?

— Sim. É o que preocupa Celia e acabou me preocupando. Minha mãe, é claro, está aborrecida, apesar de não ter nada com isso. Não acho que devamos jogar a culpa em alguém; sei que eles não brigavam e não estavam doentes.

O problema é ninguém saber nada. Eu, por exemplo, não poderia saber porque na época nem os conhecia.

— Não conhecia o general, nem Lady Ravenscroft, nem Celia?

— Celia eu conheço desde pequeno. A casa do pessoal em que eu passava as férias era vizinha à casa de Celia. Nós éramos crianças e sempre gostamos muito um do outro. Depois nos separamos, e passei anos sem vê-la. Os pais dela e os meus, por coincidência, estavam na Malásia; creio até que se encontraram lá! Meu pai já morreu. Minha mãe, quando estava na Malásia, ouviu uns boatos sobre os Ravenscroft, e agora, lembrando do que diziam, começou a querer saber coisas e a perguntar para todo mundo. Coisas que eu sei que não podem ser verdade. Mas ela fica atazanando Celia com essas histórias. Eu quero saber a verdade, e Celia também. Chega de boatos ou invenções estúpidas e estapafúrdias. Quero saber como e por quê!

— Acho que ambos têm razão — disse Poirot. — Celia ainda mais do que o senhor. É natural também que ela esteja nervosa. No fundo, essa história não tem a menor importância, pois o que interessa é o *presente* e o *agora*. A moça com quem o senhor quer casar-se também quer casar-se com o senhor, portanto o que interessa o passado? Que diferença faz se os pais fizeram um pacto de morte; se morreram num desastre de avião; ou se um deles morreu num acidente e o outro se suicidou depois; se tiveram um romance extraconjugal malfadado?

— Concordo com o que o senhor está dizendo, mas as coisas chegaram a um ponto que eu tenho que satisfazer a curiosidade de Celia. Ela é do tipo que não fala, mas fica remoendo os problemas.

— Já ocorreu ao senhor que é difícil, quase impossível, descobrir a verdade?

— O senhor quer dizer que um dos dois matou o outro e depois se suicidou? Não sei... a não ser que se descubra um outro *dado*.

— E que dado seria este? Uma coisa que aconteceu há muitos anos e que hoje em dia não tem mais a mínima importância? — perguntou Poirot.

— Não é este o problema. O problema é que minha mãe está se intrometendo. Para mim não teria a menor importância, e nem sei se Celia pensava muito sobre essa história. Na época, acho que ela estava na Suíça, deve ter sido protegida pelos adultos e, na verdade, quando se é jovem, as coisas não parecem ter tanta importância.

— Então o senhor não acha que está querendo o impossível?

— Quero saber a verdade — respondeu Desmond. — Talvez o senhor não possa descobrir, talvez não seja sua especialidade ou talvez o senhor não queira descobrir.

— Não se trata disso — interrompeu Poirot —, estou até curioso, digamos assim, a respeito do caso. As tragédias suscitadas por dor, surpresa, choque ou doença são dramas humanos, portanto é natural que a gente sinta curiosidade. O que eu quero saber é se há necessidade de vasculhar o passado.

— Talvez não haja — respondeu Desmond —, mas...

— Além do mais — continuou Poirot —, o senhor não concorda que é quase impossível chegarmos a uma conclusão depois de tantos anos?

— Não. Aí eu discordo do senhor. Acho bastante possível.

— Muito bem, e por quê?

— Porque...

— O senhor tem algum motivo para emitir essa opinião?

— Deve haver gente que saiba o que aconteceu e que talvez estivesse disposta a lhe contar; gente que não falaria nem comigo, nem com Celia.

— Interessante — comentou Poirot.

— Aconteceram coisas no passado — prosseguiu Desmond —, eu mesmo já ouvi vários boatos. Uma pessoa, talvez a própria Lady Ravenscroft, esteve internada num hospício durante anos. Aconteceu qualquer tragédia com ela em relação a uma criança que morreu ou sofreu um acidente. Não sei bem, mas alguma coisa terrível.

— O senhor soube por quem?

— Por minha mãe, que ouviu, por sua vez, de outra pessoa, ainda quando estavam na Malásia. O senhor sabe o que se cochicha numa pequena colônia de ingleses no estrangeiro! Podem também ser mentiras...

— Mas o senhor quer saber se esses boatos são falsos ou verdadeiros?

— Sim, mas não sei como descobrir sozinho. Não sei a quem perguntar, aonde ir. Mas até descobrirmos o que realmente aconteceu...

— Em outras palavras — interrompeu Poirot —, Celia Ravenscroft, em sua opinião, não se casará com o senhor até ter certeza de que não possui uma tara patológica, herdada provavelmente da mãe. É isto?

— É o que ela pensa, graças a minha mãe. É o que minha mãe quer que ela acredite, não sei com que interesse, a não ser que tenha qualquer coisa pessoal contra Celia.

— Não vai ser fácil — disse Poirot.

— Sei que não, mas conheço sua fama. Sei que é capaz de descobrir coisas incríveis, que sabe levar as pessoas a contar o que sabem...

— O que o senhor sugere que eu pergunte? Quando se refere à Malásia, o senhor não está falando dos habitantes locais e sim do pessoal inglês, os *mensahib*, do tempo da colonização. É com este pessoal que eu tenho que lidar.

— Não sei se adiantaria muito. Talvez as pessoas já estejam mortas ou não se lembrem mais. Acho que minha mãe está repleta de informações truncadas e está criando um bicho de sete cabeças de uma história banal.

— Mesmo assim o senhor acha que eu seria capaz...

— Não quis dizer que o senhor deva ir à Malásia fazer perguntas! Não creio mesmo que encontre as pessoas...

— De maneira que o senhor não poderia me dar alguns nomes?

— Do pessoal de lá, não.

— De onde então?

—Vou dizer. Acho que existem duas pessoas que sabem o que aconteceu e por que aconteceu, pelo simples fato de estarem presentes. Saberiam pela proximidade com o casal.

— Mas o senhor não quer ir procurá-las diretamente?

— Eu posso, mas não que elas... quero dizer, eu não gostaria de fazer essas perguntas pessoalmente... em especial as perguntas para as quais eu quero resposta. Nem Celia. É gente muito simpática, mas que saberia de tudo. Não são fofoqueiras nem más, e ajudariam porque têm boa vontade. Infelizmente não estou sendo bastante claro...

— Não, não — disse Poirot —, o senhor vai indo muito bem. Celia Ravenscroft concorda com o senhor?

— Não falei com ela, porque Celia gostava muito de Maddy e Zélie.

— Maddy e Zélie?

— Deixe explicar. Quando Celia era criança, na época em que nós brincávamos juntos e eu era seu vizinho nas férias, ela tinha uma governanta, que era uma espécie de tutora. Uma moça francesa encantadora que costumava brincar conosco pelos campos. Celia e a família a chamavam de Maddy.

— Ah! sim... Mademoiselle!

— Como o senhor também é francês, eu pensei que ela falaria com o senhor coisas que não diria aos outros.

— Sei. E o outro nome?

— Zélie. Também foi governanta de Celia. Maddy ficou uns três anos, e mais tarde voltou para a França ou para a Suíça. Esta segunda era ainda mais moça, e chamava-se Zélie. Era bem jovem e muito bonita. Todos a adoravam, principalmente o general, com quem jogava *piquet*.

— E Lady Ravenscroft?

— Adorava Zélie. Por isso ela voltou depois de ter ido embora.

—Voltou?

— Quando Lady Ravenscroft voltou do hospital, Zélie veio para lhe fazer companhia e tomar conta da casa.

Tenho quase certeza de que ela estava na casa quando ocorreu a tragédia. Portanto, creio que ela sabe o motivo do suicídio.

— Sabe onde moram atualmente?

— Sei, tenho o endereço das duas. Achei que talvez o senhor quisesse ir procurá-las. Sei que é uma trabalheira...

Poirot o encarou por um momento.

— O senhor tem razão — disse Hercule Poirot —, é uma possibilidade, realmente. É uma possibilidade...

LIVRO II
MARCAS PROFUNDAS

1
O inspetor Garroway e Hercule Poirot trocam informações

Os olhos do inspetor Garroway brilharam ao ver a expressão de Poirot. George serviu-lhe uma dose de uísque com soda e entregou a Poirot um copo cheio de uma bebida roxa.

— O que está bebendo? — perguntou o inspetor, interessado.

— Um xarope de beterraba.

— Gosto não se discute — comentou o inspetor. — Spence me disse que você bebe tisana. O que vem a ser isto? Uma erva extraída de um instrumento musical?

— Não. É usada para diminuir a febre...

— Coisas para velhos! Bem, um brinde aos suicídios!

— Foi suicídio? — perguntou Poirot.

— Que mais poderia ter sido? Você tem cada uma! — disse o inspetor, sacudindo a cabeça e rindo às gargalhadas.

— Desculpe incomodá-lo tanto, mas sou como um menino ou um animal de Kipling. Sofro de "curiosidade insaciável".

— Eu gosto muito das histórias de Kipling. Diziam que era um homem muito culto: uma visita, com ele, por um destróier, valia mais que um curso completo sobre engenharia naval.

— *Hélas* — suspirou Poirot —, eu não sei tudo. Por isso tenho que perguntar! Desculpe ter enviado um questionário tão extenso.

— O que me intrigou — disse o inspetor — foi a variedade das perguntas. Os relatórios dos médicos, dos psiquiatras, o inventário; quem tinha dinheiro; quem ficou com o dinheiro; quem esperava receber dinheiro e não recebeu nada; detalhes sobre os cabeleireiros, as perucas, o nome da firma que fazia perucas que, por sinal, vinham dentro de umas caixas de papelão cor-de-rosa.

— O que me impressionou é que você sabia todas as respostas!

— Bem, era um caso difícil, e nós fizemos um relatório detalhado. Não adiantou muito, mas os arquivos estão lá para quem quiser examinar o caso.

O inspetor tirou uma folha de papel do bolso e entregou-a a Poirot.

— Aí está a lista completa dos cabeleireiros, dos peruqueiros. Eugene e Rosentelle. Mudaram de endereço há alguns anos. Os dois assistentes, que estavam na lista de Lady Ravenscroft, trabalham em Cheltenham, atualmente. Aqui está o novo endereço... só que agora eles se chamam esteticistas, mas o negócio é o mesmo. Muda-se o pássaro mas a plumagem é a mesma!

— Fico-lhe muito grato — disse Poirot. — Você me deu uma excelente ideia!

— Este é o seu problema, meu amigo — disse o inspetor. — Você tem ideias demais. Em relação à família, fiz um pequeno relatório. Alistair Ravenscroft descende de escoceses; o pai era pastor, e dois tios brilharam no Exército; casou-se com Margaret Preston-Grey, uma moça de excelente família que frequentava a corte etc. Nenhum escândalo na família. Tinha uma irmã gêmea, afinal você tinha razão, chamada Dorothea. As duas eram conhecidas como Dolly e Molly e moravam com a família em Sussex. Gêmeas univitelinas; absolutamente idênticas. Perderam o primeiro dente no mesmo dia, tiveram sarampo juntas, usavam roupas iguais, apaixonaram-se por homens do mesmo nível, casaram-se no mesmo dia, ambas com militares. O médico da família que tratou delas na infância já morreu. Aconteceu uma desgraça com uma delas.

— Lady Ravenscroft?

— Não, a outra, casada com o capitão Jarrow. Tinham dois filhos. O menor, com quatro anos, foi derrubado por uma roda de bicicleta ou uma pá, não sei ao certo, e caiu num lago artificial, morrendo afogado. O acidente parece que foi provocado pela irmã de nove anos. Acho que estavam brincando e devem ter brigado. Outra versão diz que a mãe, num ataque de fúria, bateu na criança, provocando sua morte. Também disseram que foi uma vizinha a causadora de tudo. Não acho que isto vá interessá-lo muito, pois não parece ter relação com o pacto de morte.

— Não, mas gosto de estudar a questão de todos os ângulos — disse Poirot.

— É como eu sempre digo, a gente tem que estudar a questão por todos os ângulos. Não acho, porém, que tenhamos investigado o passado da família Ravenscroft tão profundamente.

— No caso da criança, abriram um inquérito?

— Sim, e eu examinei o caso. Li os artigos dos jornais e outros relatórios. Havia realmente dúvidas em relação ao culpado. A mãe teve uma crise e foi internada. Dizem que nunca mais voltou a ser a mesma pessoa.

— Eles acham que foi ela, então?

— Bem, era o que os médicos achavam. Não existia prova alguma, e a mãe disse ter assistido a tudo da janela: viu a menina bater no menino e empurrá-lo no lago. Esta versão foi posta em dúvida pelos médicos, dado o estado de nervos da mãe...

— Existe um relatório psiquiátrico sobre o caso?

— Sim. Ela foi internada num manicômio ou numa casa de saúde, onde passou alguns anos se tratando, sob os cuidados de um especialista do Hospital St. Andrews. Depois de uns três anos, teve alta e voltou para casa.

— E se manteve normal?

— Bem, ela sempre fora neurótica... eu acho...

— Onde estava ela na época do suicídio? Com os Ravenscroft?

— Não, ela havia morrido umas três semanas antes, quando veraneava na casa da irmã. Outra coincidência na vida das gêmeas. Parece que ela era sonâmbula e já tinha sofrido dois acidentes durante o sono. Às vezes, abusava dos tranquilizantes, e o resultado era que andava durante o sono e até saía de casa. A última vez estava andando por um caminho perto de um despenhadeiro, perdeu o equilíbrio e caiu. Morte instantânea. Só foi encontrada no dia seguinte. Lady Ravenscroft ficou muito abalada, pois era muito ligada à irmã. O choque foi tamanho que precisaram hospitalizar a pobre senhora.

— Será que isto teria levado os Ravenscroft ao suicídio?

— Não creio.

— Como você disse, existem estranhas coincidências na vida de irmãos gêmeos. Lady Ravenscroft pode ter se suicidado por causa da ligação com a irmã. O marido também por se sentir, de alguma forma, culpado pela morte da cunhada.

— Digo e repito — disse Garroway —, você tem imaginação demais. Alistair Ravenscroft não poderia ter um caso com a cunhada, sem que houvesse murmúrios... nunca houve nada entre os dois... se é isso que você está insinuando.

O telefone tocou. Poirot atendeu. Era a sra. Oliver.

— Será que você poderia tomar chá amanhã, aqui em casa? Celia virá e aquela megera também. Não é o que você queria?

Poirot respondeu que sim.

— Preciso sair — disse a sra. Oliver. — Vou encontrar-me com um veterano de guerra que me foi apresentado pelo meu elefante nº 1, Julia Carstairs. Acho que o nome da pessoa está errado... Só espero que o endereço esteja certo!

2
Celia conhece Hercule Poirot

— Como foi seu encontro com Sir Hugo Foster? — perguntou Poirot.

— Para começar, o homem não se chama Foster, e sim Fothergill. Julia é incapaz de reproduzir um nome corretamente — queixou-se a sra. Oliver.

— Portanto, os elefantes, às vezes, cometem erros.

— Não me fale de elefantes. Não quero mais saber deles!

— E o seu veterano de guerra?

— Um amor de criatura, mas sem a menor utilidade como fonte de informação. O homem estava obcecado por um casal chamado Barnet que perdeu um filho num acidente, na Malásia. Não tem a menor relação com os Ravenscroft. Como já disse, não quero mais saber de elefantes...

— Porém, devo elogiar sua perseverança e seu altruísmo — disse Poirot.

— Celia vai chegar daqui a pouco. Você não queria conhecê-la? Eu expliquei que você estava me ajudando nessa pesquisa. Ou será que você preferia que ela fosse à sua casa?

— Não, penso que você achou a fórmula ideal para nosso encontro.

— Creio que ela não vai poder demorar, e, se conseguirmos que saia em uma hora, ainda teremos tempo de conversar antes da chegada da sra. Burton-Cox.

— Ah! Isto é que vai ser interessante! Muito interessante!

— É uma pena, não é? — perguntou a sra. Oliver, suspirando. — Nós temos material demais...

— É verdade — concordou Poirot. — Não sabemos mais o que estamos procurando. Só sabemos de um provável suicídio duplo de um casal que vivia em paz. Que temos como razão ou causa? Já viramos essa história de pernas para o ar e ainda não sabemos nada!

— É mesmo — disse a sra. Oliver. — Só não fomos investigar essa tragédia no polo norte.

— Ou no polo sul.

— Afinal o que podemos concluir?

— Muitas coisas — disse Poirot. — Fiz uma lista. Quer ler? A sra. Oliver sentou-se ao lado de Poirot.

— Perucas — disse, apontando para o primeiro item.

— Por que perucas em primeiro lugar?

— As quatro perucas — respondeu Poirot — me fascinam. Não consigo resolver esse mistério.

— Acho que a loja onde ela comprava perucas acabou. Hoje em dia, não se usa tanto perucas como naquele tempo. As mulheres iam para o exterior de perucas para não perder tempo em cabeleireiros...

— Sim, sim — disse Poirot —, um dia nós descobriremos essa história. Temos outras, porém. Loucura na família. Uma irmã gêmea, que era louca, e passou anos internada numa casa de saúde.

— Não vejo a relação — disse a sra. Oliver. — A não ser que ela tivesse saído do hospício, matado a irmã e o cunhado e voltado...

— Isto não seria possível — discordou Poirot — porque as impressões digitais no revólver eram do general e da esposa. Existe também uma história sobre a morte de uma criança, na Malásia, talvez assassinada pela irmã de Lady Ravenscroft ou por uma nativa. Outro ponto de interesse: a questão do dinheiro.

— O que tem o dinheiro com isso?

— Nada — respondeu Poirot. — Por isso é que me chamou atenção. O dinheiro sempre aparece. O dinheiro que alguém obtém como resultado de um suicídio; ou o dinheiro que, pelo mesmo motivo, se pode perder. Nesse caso, nada. Não havia muito dinheiro. Temos a questão da infidelidade. Um caso extraconjugal poderia levar ao suicídio. Isso é comum. Não podemos esquecer também uma questão que me interessa muito. Aí entra a sra. Burton-Cox.

— Aquela megera? Não sei por que você quer conhecê-la. Uma bisbilhoteira!

— É verdade, mas o que ela quer tanto saber? A mim, parece estranha essa curiosidade. Ela é um elo, entende?

— Um elo? — perguntou a sra. Oliver.

— Sim, não sabemos onde nem como funciona esse elo. Só sabemos que ela quer um detalhe sobre o suicídio. A sra. Burton-Cox é o elo que liga sua afilhada ao filho, que não é filho.

— O quê? Não é filho?!

— Ele é filho adotivo. A sra. Burton-Cox adotou-o quando perdeu um filho.

— Como? Quando? Por quê?

— É o que me pergunto. Ela pode ser um elemento de ligação, o elo emocional do desejo de vingança, seja por ódio ou por amor. De qualquer maneira, preciso vê-la e formar uma opinião. Não posso deixar de acreditar na importância da sra. Burton-Cox.

A campainha tocou, e a sra. Oliver foi atender.

— Deve ser Celia — disse, saindo. — Será que isso tudo vai dar certo?

— Espero que sim — respondeu Poirot.

A sra. Oliver voltou em seguida, acompanhada por Celia Ravenscroft.

— Não sei — vinha dizendo Celia, pelo corredor, com ar de dúvida. — Se...

A moça parou de falar quando viu Hercule Poirot.

— Quero apresentar uma pessoa, que está me ajudando, e que espero que vá ajudá-la também: o sr. Hercule Poirot, um gênio em matéria de investigações.

— Oh! — murmurou Celia, examinando desconfiada a cabeça oval, os enormes bigodes e a pequena estatura do detetive. — Creio que já ouvi falar no senhor.

Hercule Poirot se conteve para não dizer: "Como a maioria das pessoas!" Embora isso não fosse verdade, uma vez que a maioria das pessoas, que tinha ouvido falar nele, repousasse, nesse momento, sob uma lápide do cemitério.

— Sente-se, Mademoiselle. Gostaria de dizer que, quando começo uma investigação, costumo levá-la às últimas consequências. Arrancarei a verdade, seja ela qual for, se é que é isso que deseja, e a depositarei a seus pés. Agora, se a senhorita deseja consolo, que não é a mesma coisa que a verdade, posso tentar. Está satisfeita?

Celia sentou-se e olhou para Poirot, com franqueza.

— O senhor não acha que eu quero saber a verdade?

— Acho — respondeu Poirot — que a verdade poderá ser um choque ou uma grande dor e que talvez, depois de conhecê-la, a senhorita tivesse preferido permanecer na ignorância. Pois o que vier a saber não poderá lhe dar esperança alguma. Um suicídio duplo de um pai e uma mãe aos quais amamos. Por que não continuar a amá-los sem remexer o passado? Afinal, não é tão ruim assim amarmos nossos pais.

— Parece que está voltando a moda — interveio a sra. Oliver. — Deve ser um novo artigo de consumo.

— É, tenho vivido na obscuridade — disse Celia — tentando entender o que as pessoas me dizem, principalmente as que me olham com piedade. Sem falar nos curiosos. Não quero mais viver assim, fugindo das pessoas, esquivando-me dos curiosos. Pode parecer que não, mas eu quero a verdade. Diga-me alguma coisa.

A última frase de Celia não era continuação da conversa, e sim um outro assunto, que a estava preocupando havia mais tempo.

— O senhor esteve com Desmond, não foi? Ele contou...

— Sim, ele veio me ver. A senhorita não queria que ele viesse?

— Ele não perguntou minha opinião.

— E se tivesse perguntado?

— Não sei, não sei se eu o proibiria. Tentaria impedi-lo de todas as maneiras possíveis ou talvez o encorajasse a seguir em frente.

— Gostaria de saber simplesmente, Mademoiselle, se existe algo bastante definido que a senhorita ame mais do que qualquer coisa.

— Ora, por quê?

— Como a senhorita já disse, Desmond Burton-Cox veio me visitar. Um rapaz muito simpático, agradável e bastante franco. O ponto crucial é que vocês realmente querem se casar; e, embora os jovens, atualmente, não encarem o casamento com seriedade, o matrimônio é um elo eterno. É isto o que a senhorita realmente deseja? Então o que importa para a senhorita ou para Desmond se a morte de seus pais foi um duplo suicídio ou outra coisa qualquer?

— O senhor acha que foi outra coisa?

— Ainda não sei — respondeu Poirot. — Tenho razões para acreditar que sim; alguns dados não encaixam no esquema de duplo suicídio. Baseado no que a polícia diz... e ela geralmente tem razão... tudo leva a crer que foi um duplo suicídio.

— Mas nunca descobriram a razão, não é mesmo?

— É.

— E o senhor também não sabe, mesmo depois de examinar os fatos?

— Ainda não tenho certeza — disse Poirot —, mas creio que a verdade vai ser muito dolorosa e me pergunto se a senhorita vai poder encará-la, dizendo: "O que passou, passou. Agora, tenho um homem que me ama, que amo e que será meu futuro."

— Ele lhe contou que é filho adotivo? — perguntou Celia.

— Sim.

— Portanto, o que ela tem com isso? Por que perturbar a sra. Oliver mandando recados? Ela não é mãe dele!

— Ele gosta dela?

— Não — respondeu Celia. — Acho que a detesta, que sempre a detestou.

— Mas ela gastou dinheiro com ele, o fez estudar, amparou-o. Será que não gosta dele?

— Não sei. Creio que não. Acho que ela queria substituir o filho que perdeu num acidente e por isso adotou Desmond. Não sei se nessa época ela já era viúva. Não consigo guardar bem datas...

— Sei, sei. Gostaria de saber uma coisa.

— Sobre ele ou sobre ela?

— Ele tem bens?

— Não sei aonde o senhor quer chegar. Desmond será capaz de me sustentar. Acho que colocaram algum dinheiro em nome dele, quando o adotaram. Uma soma razoável, nada exagerado, entende?

— Ele não dependerá dela para nada!

— Ela vai deserdá-lo se ele casar comigo? Acho que ela nunca o ameaçou sequer e, mesmo que o quisesse, não poderia fazê-lo. Pelo que sei, o dinheiro é só dele, não tem vínculo algum com ela. Essas instituições de adoção fazem muitas exigências quando se adota uma criança.

— Gostaria de saber algo, que talvez só você e a sra. Burton-Cox podem responder. Quem é a mãe verdadeira de Desmond?

— O senhor acha que é por isso que ela anda tão preocupada? Com a árvore genealógica de Desmond? Não sei, francamente, não sei. Creio que ele seja filho ilegítimo, pois, se não fosse, não iria parar num orfanato. Acho que ela sabe algo sobre a mãe ou o pai dele, mas sei que nunca disse nada para Desmond. Limitou-se a repetir as besteiras que eles sugerem que se diga, como por exemplo: "Que bom ser filho adotivo, porque demonstra que a gente foi realmente escolhido." E bobagens no gênero.

— Acho que é o que as instituições sugerem que se diga quando se conta a verdade para a criança. Desmond ou você não têm conhecimento de algum parente de sangue, algum primo distante?

— Não sei. Acho que ele também não, mas não creio que se preocupe com isso. Não é o tipo de coisa que o preocupa.

— A senhorita sabe se a sra. Burton-Cox foi amiga da sua família, dos seus pais? Por acaso, já a conhecia antes, quando ainda morava com seus pais?

— Não creio. Acho que a mãe de Desmond, a sra. Burton-Cox, morou na Malásia. O marido morreu por lá, e Desmond veio estudar na Inglaterra por essa mesma época. Eu o conheci nas férias, quando ele se hospedava com os primos perto de casa. Eu o achava o máximo. Ele vivia trepando em árvores e me ensinou como os pássaros fazem ninhos e põem ovos. Quando nos reencontramos, na universidade, falamos sobre nossa infância e os lugares que frequentávamos. Quando ele perguntou meu sobrenome, é que descobrimos que já nos conhecíamos. Daí, começamos realmente a namorar. Ainda não o conheço profundamente e nem sei todos os detalhes da vida dele, mas quero saber. Agora, eu pergunto, como posso fazer planos sobre o futuro se não conheço realmente meu passado?

— Quer então que eu prossiga nas minhas investigações?

— Quero, embora não creia que possam trazer grandes resultados. Desmond e eu tentamos descobrir algumas coisas, mas não deu certo. Volta tudo para o mistério da morte, ou melhor, das duas mortes. O estranho é que, quando se fala em duplo suicídio, pensa-se sempre numa só morte. Não foi Shakespeare que disse "E nem a morte os separou"? Sim — continuou Celia, resoluta. — Prossiga. Continue investigando e apresentando seus relatórios à sra. Oliver, ou melhor, diretamente a mim. Não quero ser grosseira, minha querida madrinha, mas quero saber a verdade da fonte.

— Fico feliz em ser considerado uma fonte — disse Poirot.

— E verterá muita água?

— Creio que sim.

— Limpa e cristalina como a verdade?

— Como toda fonte que se preza, Mademoiselle.

3
A SRA. BURTON-COX

— E então — disse a sra. Oliver, assim que Celia saiu —, o que você achou dela?

— Tem muita personalidade — disse Poirot. — É mesmo muito interessante e original.

— Eu também acho — concordou a sra. Oliver.

— Gostaria que você me dissesse uma coisa.

— Sobre ela? — perguntou a sra. Oliver. — Não a conheço bem. Geralmente as pessoas não conhecem bem os afilhados. Como se pode conhecer alguém que a gente só encontra de vez em quando?

— Mas não é sobre ela a informação. É sobre a mãe.
— Ah! sei...
—Você conhecia a mãe dela?
— Sim. Estivemos juntas num pensionato em Paris, na época em que isso era moda. O que você quer saber?
— Então se lembra de como ela era? Fale-me sobre ela.
— Lembro-me. Como já disse, não esquecemos das coisas ou das pessoas que pertenceram ao passado.
— Qual a impressão que tinha dela?
— Lembro-me de que era muito bonita — respondeu a sra. Oliver. — Talvez um pouco gorda aos 13 ou 14 anos, mas isso é natural nessa idade — acrescentou.
— Era uma pessoa de personalidade?
— É difícil dizer porque ela não era minha amiga. Éramos um bando de meninas divididas em grupos: as que gostavam de tênis, de ópera ou morriam de tédio quando iam aos museus. Só posso dar um apanhado geral sobre Molly Ravenscroft.
—Vocês tinham namorados?
—Tínhamos nossas paixões. Não por cantores de rock, é claro; naquela época as meninas veneravam os atores. Lembro-me de que uma das minhas colegas pendurou o retrato de um ator famoso na cabeceira da cama. A diretora, Mademoiselle Girand, proibiu este costume: "*Ce n'est pas convenable!*" A menina não disse que o retrato era do seu próprio pai. Nós morremos de rir. Naquela época, a gente ria com tanta facilidade...
— Fale mais sobre Margaret Ravenscroft ou Molly Preston-Grey. A filha é parecida com ela?
— Não, não é de maneira alguma. Molly era mais... mais passional...
— Ela tinha uma irmã gêmea. Essa irmã também estava no pensionato?
— Não, e não sei por quê, uma vez que tinham a mesma idade. Acho que estava numa escola aqui na Inglaterra, não sei ao certo. Essa irmã gêmea, Dolly, que eu

só vi uma ou duas vezes, era absolutamente igual a Molly. Usavam as mesmas roupas, o mesmo penteado, e isso me dava uma sensação estranha. Diziam que ela estava doente, que estava se tratando ou qualquer coisa parecida. Uma vez eu cheguei a fantasiar que ela fosse aleijada. Sei que foi levada por uma tia para uma viagem marítima, por causa da saúde. Na verdade, não sei nada ao certo! Sinto, porém, que Molly adorava a irmã e estava sempre pronta a protegê-la. Você não acha que estou dizendo alguma besteira?

— De maneira alguma — respondeu Poirot.

— Outras vezes ela se recusava a falar na irmã. Preferia falar sobre os pais, a quem adorava. A mãe uma vez foi visitá-la, e as duas saíram juntas para passear. Era uma senhora bonita, distinta e bondosa.

— Molly não tinha namorados?

— Não era costume ter namorados naquela época — respondeu a sra. Oliver, impaciente. — Hoje em dia é comum! Quando voltamos para a Inglaterra, tomamos rumos diversos. Acho que Molly foi com os pais para o exterior. Sei que não foi para a Índia... deve ter ido para o Egito. O pai era diplomata, eu creio. Sei que moraram na Suécia, depois nas Bermudas e nas Índias Ocidentais. Talvez ele tenha sido governador, ou coisa parecida. Não me lembro bem, são detalhes fáceis de confundir. Só me lembro das bobagens que falávamos. Molly tinha paixão pelo professor de música, que me interessava também. As moças, naquele tempo, tinham paixões mais românticas, nada dessas confusões com namorados... A gente ansiava pelo dia de aula, e eles, os professores, com certeza nem tomavam conhecimento dos corações destroçados. À noite, sonhávamos com eles, às vezes até de dia! Lembro-me de que cheguei a fantasiar que meu querido professor teve cólera e que foi salvo pelos meus cuidados e pelas transfusões doadas por mim. Quanta bobagem uma adolescente é capaz de imaginar! Houve uma época em que resolvi entrar para um convento, depois quis ser enfermeira! Creio que a sra. Burton-Cox está para chegar. Estou curiosa para saber como reagirá com você.

Poirot olhou para o relógio.

— Daqui a pouco saberemos.

— Quer discutir outro assunto comigo?

— Acho que ainda poderíamos trocar algumas informações. Algumas memórias de elefante...

— Já disse que não quero mais saber de elefantes! — protestou a sra. Oliver.

— Ah!, mas eles querem saber de você...

A campainha da porta soou. Poirot e a sra. Oliver se entreolharam.

— Chegou a hora! — disse a sra. Oliver.

Ela foi atender. Poirot ouviu os habituais cumprimentos. Em seguida, a sra. Oliver voltou acompanhada pela imponente figura da sra. Burton-Cox.

— Que maravilha de apartamento — comentou a sra. Burton-Cox. — Foi muita gentileza sua perder seu precioso tempo comigo.

A sra. Burton-Cox viu Hercule Poirot e ficou ligeiramente surpresa; em seguida, seus olhos se voltaram para o piano e depois para o detetive. Ocorreu à sra. Oliver que a visitante devia estar confundindo seu amigo com o afinador de piano.

— Quero apresentar-lhe Hercule Poirot — disse rapidamente a sra. Oliver, aflita para desanuviar qualquer mal-entendido.

Poirot levantou-se e beijou a mão da sra. Burton-Cox.

— Acho que ele é a única pessoa que poderá ajudá-la — continuou a sra. Oliver. — Sobre aquele assunto que a senhora me perguntou, outro dia, em relação a Celia.

— Quanta gentileza sua em lembrar-se. Gostaria tanto que a senhora pudesse me esclarecer sobre aquela história.

— Não creio que possa ajudá-la — disse a sra. Oliver. — Por isso convidei Monsieur Poirot, que é maravilhoso, sabe de tudo e consegue informações sobre os mais variados assuntos. É um mestre em sua profissão.

Já perdi a conta das pessoas que ele auxiliou e dos mistérios que resolveu. Essa história dos pais de Celia foi tão trágica...

— Realmente — concordou a sra. Burton-Cox, ainda em dúvida quanto à eficácia de Poirot.

A sra. Oliver, com um gesto, convidou-a a sentar-se.

— Aceita alguma coisa? Xerez? Já está tarde para servir chá, mas quem sabe a senhora aceitaria um coquetel?

— Oh! Um cálice de xerez está ótimo, obrigada.

— E você, Poirot?

— Eu também, obrigado.

A sra. Oliver suspirou aliviada. "Ainda bem", pensou, "que Poirot não quis *sirop de cassis* ou um licor de frutas."

— Já conversei com Poirot sobre o que a senhora deseja saber.

— Pois não — disse a sra. Burton-Cox.

Pela primeira vez na vida, a megera parecia insegura e desambientada.

— Hoje em dia, os jovens são tão complicados — disse a sra. Burton-Cox, voltando-se para Poirot. — Meu filho, em quem deposito tantas esperanças, e esta moça encantadora que é afilhada da sra. Oliver... francamente não sei o que dizer. Sei que geralmente essas amizades acabam se desfazendo porque são romances da adolescência. Em todo caso, não devemos esquecer os antecedentes das pessoas e de que família provêm. Sei que Celia é uma moça bem-nascida, mas houve uma tragédia: um pacto de morte bastante obscuro que não ficou bem-esclarecido! Não tenho amigos que tivessem conhecido os Ravenscroft, de maneira que não posso sequer imaginar o que os levou ao suicídio. Reconheço que Celia é uma moça encantadora, mas gostaria de conhecer melhor a família dela.

— Segundo minha amiga, aqui presente, a senhora desejava saber algo mais específico. Queria saber...

— A senhora queria saber — interrompeu a sra. Oliver — se o pai de Celia tinha matado a mãe e depois se suicidado ou vice-versa.

— Para mim faz diferença — disse a sra. Burton-Cox, incisiva.

— Que interessante! — comentou Poirot, sem muita ênfase.

— Por causa dos problemas emocionais ou dos acontecimentos emocionais que ocasionaram a tragédia. Num casamento, deve-se pensar nos filhos, na hereditariedade. Creio que existe uma teoria que prova que a hereditariedade é mais importante do que o ambiente; que ela acarreta a deformação do caráter e outras coisas terríveis que desejamos evitar.

— É verdade — concordou Poirot. — Como também é verdade que a decisão sobre os futuros riscos deverá ser tomada por seu filho e a noiva.

— Claro, claro. Sei que a decisão não é minha. Não se dá mais aos pais o direito de escolha nem ao menos de dar conselhos! Mesmo assim, quero saber mais sobre o caso, se é que o senhor está disposto a investigar, para empregar o termo exato. Talvez eu esteja superprotegendo meu querido filho, talvez seja bobagem, mas são sempre as mães que se preocupam.

A sra. Burton-Cox, inclinando a cabeça, deu um pequeno risinho.

— Talvez — prosseguiu, bebericando seu cálice de xerez — o senhor precise de tempo para pensar. Quando decidir, talvez eu revele todas as minhas preocupações sobre o caso.

Ato contínuo, a sra. Burton-Cox olhou para o relógio.

— Meu Deus! Como estou atrasada! Tenho que ir. Desculpe ter que sair tão às pressas, sra. Oliver, mas infelizmente tenho um compromisso inadiável. Também levei horas para pegar um táxi; hoje parecia que eles não queriam trabalhar. Esta vida moderna é uma dificuldade, não é mesmo? Acho que a sra. Oliver tem seu endereço.

— Eu lhe darei meu endereço — disse Poirot, tirando um cartão de visitas do bolso.

— Ah, Obrigada, Monsieur Hercule Poirot. Francês?

— Belga — respondeu Poirot.

— Ah! sim, belga! Pois não. Muito prazer em conhecê-lo; o senhor me deu muitas esperanças. Cruzes, como estou atrasada!

Apertando a mão da sra. Oliver e depois a de Poirot, a sra. Burton-Cox retirou-se correndo.

— O que foi isso? — perguntou a sra. Oliver.

— O que você acha?

— Ela fugiu — disse a sra. Oliver. — Fugiu! Você deve tê-la assustado de alguma maneira.

— Acho que sim — disse Poirot.

— Ela queria que eu obtivesse informações sobre Celia, que eu descobrisse qualquer segredo que ela acredita esteja escondido no fundo de um armário. O que ela não quer, na realidade, é uma investigação minuciosa.

— Creio que não, o que não deixa de ser intrigante. Ela é rica?

— Acho que sim. Usa roupas caras, mora num bairro chique. É desse tipo de mulher ativa, enérgica, mandona, que preside vários comitês. Não existe nada escuso sobre a vida dela, eu já andei perguntando. É dessas mulheres interessadas no bem-estar social.

— Então o que há de errado com ela?

— Você acha que existe algo de errado? Ou será que também não gostou dela?

— Acho que ela tem qualquer segredo que não quer revelar — disse Poirot.

— E você vai descobrir?

— Se puder — respondeu Poirot. — Talvez não seja fácil, pois ela está na defensiva; foi pelo menos a posição que tomou ao fugir daqui. Reparou como ficou com medo do que eu ia lhe perguntar? — Poirot deu um suspiro. — Acho que vamos ter que recuar ainda mais no tempo.

— Você é quem sabe — disse a sra. Oliver. — Que devemos fazer, e que lista é essa?

— Obtive algumas informações dos arquivos policiais sobre os objetos encontrados na casa. Lembra-se das quatro perucas?

— Como não?

— Não lhe parece um tanto excessivo? — perguntou Poirot. — Tenho alguns endereços que poderão ser úteis. O do médico...

— Médico? O médico da família?

— Não, um médico que testemunhou num inquérito sobre um acidente, quando uma criança foi empurrada num lago; o autor do crime podia ser uma outra criança ou uma pessoa adulta.

—Você quer dizer a mãe?

— Talvez a mãe ou qualquer pessoa da casa. Conheço a região da Inglaterra onde ocorreu o acidente, e o inspetor Garroway conseguiu o nome do médico pela polícia e de uns jornalistas amigos que estavam acompanhando o caso.

— E você vai falar com ele? Mas deve estar muito velho!

— Não, não é ele quem eu vou ver; é o filho dele, que é especialista em doenças nervosas. Estou levando uma carta de apresentação e espero que ele me faça alguma revelação definitiva. Houve também uns inquéritos a respeito de dinheiro...

— Como assim?

— Existem coisas que ainda precisamos averiguar. Às vezes, quando ocorre um crime, o móvel é o dinheiro. Quem vai ganhar ou perder com a morte? É isto que temos de descobrir.

— Bem, no caso dos Ravenscroft os interessados já devem ter descoberto há anos.

— Um testamento aparentemente normal: cada cônjuge, no caso da morte do outro, herdaria o patrimônio. Conforme vimos, um não se beneficiou com a morte do outro. Os que se beneficiaram foram Celia, a filha, e o irmão mais novo, Edward, que atualmente está estudando numa universidade no exterior.

— Então esta teoria vai por água abaixo porque nenhuma das crianças estava presente quando os pais se suicidaram, não estando de forma alguma implicadas no caso.

— Bem, não é a mim que você deve perguntar sobre finanças; não estou abalizada a responder e o que eu tinha que investigar já veio à tona com os elefantes com quem eu tive que conversar...

— Não vai ser necessário falar com eles novamente. Acho que, agora, você vai se dedicar às perucas.

— Perucas?

— Havia uma nota fiscal do fornecedor de perucas, no minucioso relatório da polícia. Tratava-se de uma firma bastante famosa de cabeleireiros e peruqueiros, situada na rua Bond. Mais tarde esta loja fechou, e a firma se mudou; continuou dirigida por dois antigos sócios, que acabaram desfazendo a sociedade. Tenho o endereço de um deles e acho que as investigações surtiriam mais efeito se uma mulher se encarregasse disso.

—Ah! — murmurou a sra. Oliver. — Eu?

— Sim, você.

— Muito bem. Que quer que eu faça?

—Vá ao endereço que eu vou lhe dar em Cheltenham e procure Madame Rosentelle. Trata-se de uma senhora, de meia-idade, que foi famosa pelos penteados e perucas que executava e que se casou com um homem também especialista em perucas para homens.

— Credo! As coisas que você me arruma. Você acha que eles vão se lembrar?

— Os elefantes... — disse Poirot.

— E você vai investigar sobre aquele médico de quem falou há pouco?

— Sim.

—Acha que ele vai se lembrar?

— Não creio que se lembre de tudo — respondeu Poirot. — Mas acho que talvez se lembre ou tenha ouvido falar nesse acidente. Deve ter sido um caso interessante. Talvez tenha algo nos arquivos...

— A irmã gêmea?

— Segundo consta, houve dois acidentes relacionados com ela. O primeiro quando tinha filhos pequenos e morava em Hatters Green; o segundo quando estava na Malásia. Os dois acidentes resultaram na morte de uma criança. Talvez eu venha a saber algo...

— Será que, sendo irmã gêmea, Molly, a minha Molly, poderia ter algum distúrbio mental? Não acredito. Ela não tinha jeito disso. Foi uma menina meiga, afetuosa, bonita... não, ela foi uma garota maravilhosa.

— O que você diz parece ser verdade. Mas você diria que ela era totalmente feliz?

— Diria — afirmou a sra. Oliver. — Muito feliz até! Sei que desconheço a vida dela quando se tornou adulta, mas, pelas cartas e pelos amigos em comum, sempre tive a ideia de que Molly era muito feliz.

— Mas a irmã, você não conheceu?

— Bem... esta... que me conste... vivia internada. Não esteve presente no casamento de Molly, nem mesmo como dama de honra.

— O que é muito estranho!

— Mesmo assim não sei o que você pretende descobrir!

—Vou só tomar algumas informações — disse Poirot.

4
DR. WILLOUGHBY

Hercule Poirot pagou o táxi, deu uma pequena gorjeta e saltou do carro, verificando antes se o endereço correspondia ao que estava anotado no caderninho de notas. Em seguida, tirou uma carta do bolso, subiu a escada e apertou a campainha da porta da casa do dr. Willoughby. Um criado abriu a porta e informou a Poirot que o médico o estava aguardando.

Poirot foi levado para uma saleta bastante confortável, cheia de livros, com duas poltronas de couro colocadas ao lado da lareira. Entre as poltronas, uma mesinha com várias bebidas. O dr. Willoughby levantou-se para receber o convidado. Era um homem de uns cinquenta ou sessenta anos, magro, de cabelos escuros, uma testa alta e um par de olhos cinzentos e penetrantes. Apertaram-se as mãos, e o médico indicou a poltrona, onde Poirot deveria se sentar. Este entregou ao médico a carta de apresentação.

— Ah!, sim...

O médico abriu a carta, leu-a, dobrou-a cuidadosamente e encarou Poirot com curiosidade.

— Já recebi um recado do inspetor Garroway, outro de um amigo do Ministério do Interior, pedindo que colaborasse com o senhor.

— Quero lhe pedir um favor bastante difícil — disse Poirot —, mas, como é muito importante, precisei vir pessoalmente.

— Depois de tantos anos, ainda é tão importante para o senhor?

— É. Compreendo naturalmente que o senhor não poderia se lembrar de todos os acontecimentos...

— O senhor ficará surpreso com minha memória. Principalmente nesse caso. Penso que o senhor sabe que sempre me interessei por certos aspectos da psiquiatria.

— O seu pai, ao que consta, foi uma grande autoridade no assunto.

— É verdade, foi a grande paixão de sua vida. Criou várias teorias que o tempo provou serem absolutamente certas ou desapontadoramente erradas. O senhor está interessado num caso específico, não é?

— Sim, numa mulher chamada Dorothea Preston-Grey.

— Na época em que a conheci, eu ainda era muito jovem, mas já me interessava pelos trabalhos de meu pai, embora discordasse de algumas de suas teorias. Trabalhamos muito tempo juntos. Não sei por que o senhor se interessa por Dorothea Preston-Grey ou pela sra. Jarrow, como passou a se chamar mais tarde.

— Ela tinha uma irmã gêmea?

— Sim, e meu pai, na época, fazia um estudo relacionado com irmãos gêmeos. Pretendia seguir a vida de vários pares de gêmeos univitelinos; os criados no mesmo ambiente e os criados, por circunstância da sorte, em ambientes diferentes. Queria pesquisar se permaneciam iguais e se tinham destinos semelhantes. Duas irmãs ou dois irmãos, por exemplo, que mal se viam durante a vida, mas a quem sucediam coisas idênticas ao mesmo tempo. Foi uma pesquisa muito interessante. Contudo, não é o objeto da sua visita, creio.

— Não — disse Poirot —, estou interessado na sra. Jarrow em relação ao acidente de uma criança.

— Com efeito, houve um acidente em Surrey, creio, numa área rural. Parece que a sra. Jarrow, com dois filhos na época, havendo perdido o marido num acidente, se tornou...

— Mentalmente desequilibrada? — perguntou Poirot.

— Não exatamente. Ela estava muito chocada com a morte do marido, sofrendo grande sensação de perda e, segundo seu médico particular, não estava se recuperando bem do trauma. Começou a apresentar sintomas estranhos. Finalmente foi encaminhada para meu pai, que achou o caso interessante e diagnosticou uma forte tendência agressiva. Aconselhou que ela fosse internada, para observação, principalmente depois do acidente com a criança. Segundo o testemunho da sra. Jarrow, seus dois filhos estavam brincando quando um deles, a menina mais velha, atacou o irmão, batendo nele com uma pá ou outro instrumento qualquer de jardinagem. Isto ocasionou a queda do menino dentro de um chafariz no jardim, onde morreu afogado. Essas coisas acontecem comumente entre as crianças que, por ciúmes, empurram um irmão ou uma irmã num lago, pensando: "Mamãe ficaria tão melhor se Edward ou Donald não voltasse para casa..." ou "Seria tão melhor se..." Tudo causado pelo ciúme. Nesse caso não parecia haver muita razão para ciúmes: a menina não parecia ressentida com o nascimento do irmão, e, além do mais, a sra. Jarrow não queria ter um segundo filho. Tentou até abortar, mas não houve conivência médica, pois não se esqueça de que, naquela época, o aborto era considerado ilegal na Inglaterra. Porém, tanto uma das criadas quanto um carteiro que passava por perto acusaram a mãe, e não a menina, da autoria do crime. Uma das criadas foi enfática ao declarar que estava numa das janelas quando viu a patroa cometendo o crime. Ela falou: "Não acho que a pobre tivesse consciência do que estava fazendo... Depois que o marido morreu ela não era mais a mesma." Como já disse — prosseguiu o médico —, não sei o que o senhor deseja saber sobre o caso. O veredicto foi morte por acidente, uma vez que as crianças estavam brincando juntas etc. Assim ficou a história até que meu pai, depois de uma série de testes, questionários e entrevistas com a sra. Jarrow, concluiu que ela tinha sido a responsável. Seguindo seu conselho, seria conveniente que ela fizesse um tratamento psiquiátrico.

— Mas seu pai tinha certeza de que fora ela?

— Sim. Meu pai fazia parte de uma escola médica muito em voga naquela época, a que prescrevia que, depois de um longo tratamento, os doentes poderiam retornar às atividades normais e que isso seria inclusive terapêutico. Deveriam voltar para casa e, sob observação médica e dos parentes próximos, que poderiam acompanhar os sintomas de perto, retornar à vida cotidiana. No começo, essa teoria deu ótimos resultados, mas, com o tempo, provou ser inviável. Vários casos tiveram resultados desastrosos. Pacientes aparentemente curados, ao voltarem para o ambiente familiar, isto é, para o marido, mãe ou pai, logo recaíam, acarretando, às vezes, quase uma tragédia. Um caso, em especial, que muito abalou meu pai, foi uma paciente que, depois do tratamento, voltou a morar com uma amiga. Tudo parecia bem até que, passados uns cinco ou seis meses, a paciente telefonou para meu pai, pedindo que ele fosse à sua casa com urgência. "Preciso levá-lo ao andar de cima", disse a mulher. "Por favor, não se zangue com o que eu fiz! Sei que o senhor vai ter que chamar a polícia, mas fui comandada. Quando eu olhei para Hilda, vi os olhos do demônio e só tive uma saída: matá-la!" A amiga estava estendida numa cadeira, estrangulada e com os olhos arrancados. A paciente morreu num hospício, sem o menor sentimento de culpa, pois fora ordenada por uma voz superior que a obrigara a eliminar o diabo.

Poirot sacudiu a cabeça tristemente.

— Sim, sim — prosseguiu o médico. — O caso de Dorothea Preston-Grey não era tão grave, nem ela era tão perigosa, mas acho que só estaria garantida se vivesse sob supervisão médica; os psiquiatras discordavam disso, principalmente meu pai. Internaram-na numa ótima clínica, onde foi muito bem-tratada. Quando teve alta, passou a ter uma vida normal, amparada por uma enfermeira, que era tratada pela criadagem como dama de companhia. A sra. Jarrow passou a frequentar festas, fazer amizades e finalmente foi para o exterior.

— Para a Malásia? — perguntou Poirot.

— Vejo que está bem-informado; sim, foi para lá morar com a irmã gêmea.

— Onde ocorreu outra tragédia?

— Sim, uma criança de um vizinho foi atacada. Primeiro acharam que foi a criada, depois um fanático religioso. Finalmente as suspeitas recaíram sobre a sra. Jarrow. Por quê? Creio que foi atacada por uma dessas alucinações tão comuns aos loucos. A polícia não conseguiu provas suficientes para acusá-la formalmente, e eu acho que o general... não me lembro bem do nome dele...

— Ravenscroft — disse Poirot.

— Isso mesmo. O general Ravenscroft conseguiu removê-la para a Inglaterra e interná-la novamente. Era isso o que desejava saber?

— Sim — respondeu Poirot. — Vem confirmar o que eu já havia escutado. Faltavam, porém, fatos palpáveis. O que desejo saber, no entanto, se relaciona com o estudo de seu pai sobre gêmeos idênticos. Na sua opinião, a outra irmã, a esposa do general Ravenscroft, também poderia sofrer do mesmo desequilíbrio?

— Não temos indicação alguma sobre ela. Ao que me consta, ela era uma mulher inteiramente normal. Como meu pai se interessava pelo assunto, foi visitá-la uma ou duas vezes. Segundo ele, geralmente os casos de doenças ou distúrbios mentais idênticos acontecem com gêmeos univitelinos, que, na primeira infância, se amam em demasia...

— Só na primeira infância?

— Sim, pois acontece que entre esses gêmeos pode nascer uma grande animosidade. Começa com uma profunda devoção protetora, um em relação ao outro, mas pode degenerar em quase ódio, caso surja uma tensão emocional que crie essa animosidade entre ambos.

— Talvez seja isso que tenha acontecido entre as duas — prosseguiu o médico. — O general Ravenscroft, quando jovem, apaixonou-se por Dorothea, que era a mais bonita. Ela correspondeu ao amor do general, mas ele resolveu transferir o afeto para Margaret ou Molly, como era chamada a outra irmã. Apaixonou-se por ela e pediu-a em casamento. Ela aceitou e, assim que ele foi promovido, os dois se casaram. Meu pai não tinha dúvidas de que a outra irmã, Dolly, tinha um ciúme terrível de Molly e que continuou apaixonada pelo general. Portanto, ressentia-se com o casamento! Ultrapassou essa fase, casou-se com outro homem, viveu bem com ele e frequentemente visitava os Ravenscroft, não só na Malásia, como também em outros postos no exterior. Nessa época, ela era considerada curada, não sofria perturbação mental alguma, morava com uma enfermeira e os criados. Acredito, e meu pai sempre confirmou, que Lady Ravenscroft adorava a irmã, queria protegê-la e gostaria de estar sempre com ela, mas o general se interpunha entre ambas. Acho possível que a sra. Jarrow, ou Dolly, sentisse uma forte atração pelo cunhado, o que devia ser bastante embaraçoso para ele. Sei que para Molly o problema da irmã, nesse sentido, era considerado inteiramente superado.

— Soube que a sra. Jarrow esteve hospedada na casa dos Ravenscroft três semanas antes de ocorrer o suicídio do casal — disse Poirot.

— É verdade. A sra. Jarrow faleceu na casa da irmã. Era sonâmbula e frequentemente saía andando à noite, enquanto dormia. Sofreu um acidente e caiu de um penhasco. Foi encontrada no dia seguinte, e creio que morreu no hospital sem ter recobrado a consciência. A irmã Molly ficou transtornada e inconsolável, mas, infelizmente, pois creio que é isso que o senhor deseja saber, não posso relacionar o suicídio do casal com a morte da irmã. A dor pela perda de uma irmã ou de uma cunhada raramente leva uma pessoa a cometer suicídio.

— A não ser que — disse Poirot — Margaret Ravenscroft tenha sido a causadora da morte da irmã...

— Céus! — exclamou o médico. — O senhor não está sugerindo que...

— Margaret seguiu a irmã enquanto esta dormia e empurrou-a pelo despenhadeiro?

— Recuso-me a admitir essa hipótese.

— Infelizmente, com os seres humanos nunca se pode ter certeza de coisa alguma — sentenciou Poirot.

5
Eugene e Rosentelle:
CABELEIREIROS E ESTETICISTAS

A sra. Oliver examinou o subúrbio em que se encontrava, encantada. Nunca estivera em Cheltenham, mas ficou satisfeita em saber que ainda existiam lugares onde as casas pareciam ser casas.

Voltando à juventude, a sra. Oliver lembrou-se de pessoas que moravam em Cheltenham, gente aposentada do Exército ou da Marinha. Era o lugar ideal para as pessoas que tinham vivido no exterior, pois tudo em volta lembrava a Inglaterra.

Depois de espiar duas lojas de antiquários, ela encontrou o que procurava, ou melhor, o que Hercule Poirot queria que ela procurasse. O salão de beleza Rose. Entrou. Quatro ou cinco mulheres estavam sendo atendidas. Uma mocinha gorducha, desculpando-se com a cliente, a quem estava atendendo, dirigiu-se à sra. Oliver.

— Sra. Rosentelle? — perguntou a sra. Oliver. — Ela disse que poderia me receber se eu viesse de manhã. Não venho vê-la para tratar do cabelo, mas para fazer uma consulta de caráter particular. Creio que minha secretária marcou esta hora com ela.

— Ah, pois não — disse a mocinha. — Acho que Madame está aguardando uma visita.

A sra. Oliver foi conduzida para uma escada, depois por uma porta de correr e finalmente no que parecia ser a residência da sra. Rosentelle.

— Há uma senhora aqui, esperando para falar-lhe — disse a moça, batendo à porta. — Como é mesmo o seu nome?

— Sra. Oliver — disse a escritora.

A porta abriu-se, e a sra. Oliver penetrou num mundo diáfano de cortinas de gaze rosa e paredes cobertas de papel pintado. Imperando neste domínio de *son et lumière*, a sra. Rosentelle, que deveria ter a mesma idade, ou talvez mais um pouco do que a sra. Oliver, tomava seu café matinal.

— Sra. Rosentelle? — perguntou a sra. Oliver.
— Sim.
— A senhora estava me esperando?
— Claro. Não entendi bem o que queria, porque os telefones andam péssimos. Estou ao seu inteiro dispor. Aceita um café?

— Não, obrigada — respondeu a sra. Oliver. — Não espero tomar muito o seu tempo. Quero lhe perguntar sobre um assunto que me interessa muito. Sei que há anos trabalha neste ramo...

— Realmente, mas quase não tenho trabalhado; deixo tudo com as meninas...

— Mas ainda dá conselhos sobre beleza?
— Sim.

O rosto da sra. Rosentelle, com seus cabelos castanhos, raiados por mechas cinzentas, revelava inteligência e bom humor.

— Qual é o problema?

— Bem, minha pergunta se relaciona com... perucas...

— Atualmente não fabricamos tantas quanto antigamente.

— A senhora tinha um salão de beleza em Londres?

— Sim, primeiro na rua Bond, depois mudamos para a rua Sloane e finalmente resolvemos morar perto do campo. Meu marido e eu adoramos este lugar. Temos um pequeno salão, mas não trabalhamos muito com perucas, embora ele ainda receba algumas encomendas de antigos clientes calvos. Para certos homens é muito importante parecer mais jovem, principalmente quando ocupam certas posições.

— Faço ideia — comentou a sra. Oliver.

De puro nervosismo fez mais alguns comentários fúteis, enquanto tentava descobrir como entrar no assunto. Levou um susto quando a sra. Rosentelle, inclinando-se para a frente, perguntou:

— A senhora é Ariadne Oliver, não é?

— Sou — respondeu, ligeiramente acanhada, a sra. Oliver, como se tivesse sido apanhada em flagrante. — É, eu escrevo novelas...

— Adoro seus livros. Já li vários! Que prazer tê-la aqui! Diga-me, como posso ajudá-la?

— Bem, eu queria falar sobre perucas e sobre um fato que ocorreu há muitos anos e de que talvez a senhora já nem se lembre mais...

— Bem, seria sobre a moda de penteados de alguns anos atrás...

— Não exatamente. É sobre uma mulher, amiga minha, colega de colégio, que se casou e foi morar na Malásia. Mais tarde voltou para a Inglaterra e acabou morrendo tragicamente. O estranho é que entre seus pertences foi encontrado um enorme número de perucas. Todas, creio, confeccionadas por sua firma.

— Uma tragédia! Como era o nome dela?

— Quando a conheci, chamava-se Preston-Grey, mas tornou-se, mais tarde, Ravenscroft.

— Ah! claro. Claro que me lembro de Lady Ravenscroft. Lembro-me até muito bem. Era tão simpática e muito bonita. É mesmo... o marido era coronel ou general aposentado, e eles viviam em... em... não me lembro mais o nome do lugar...

— Onde ocorreu um duplo suicídio — disse a sra. Oliver.

— Lembro-me de ter lido sobre o assunto e comentado: imagine, olhe aqui a nossa Lady Ravenscroft. Depois vi o retrato dela nos jornais e não tive mais dúvidas. Não conheci o marido, mas ela eu conhecia muito bem. Que tristeza! Que pena! Ouvi dizer que eles souberam que ela estava com câncer e desenganada pelos médicos, por isso se mataram. Mas não sei maiores detalhes sobre o caso.

— Sei — disse a sra. Oliver.

— O que a senhora acha que eu posso informar?

— Como a senhora lhe fornecia as perucas, e a polícia e os investigadores acham que ela possuía um número excessivo delas, resolvi perguntar se, naquela época, era comum ter tantas perucas.

— Bem, que eu saiba, a maioria das mulheres tinha pelo menos duas — respondeu a cabeleireira. — Uma para uso e a outra como reserva.

— A senhora se lembra se Lady Ravenscroft, pouco antes de morrer, encomendou mais duas perucas extras?

— Ela não veio pessoalmente. Acho que estava doente ou internada... Quem fez a encomenda foi uma moça francesa, que era dama de companhia ou governanta dos Ravenscroft. Um amor de moça, por sinal, que falava inglês fluentemente. Explicou que queria duas perucas extras, escolheu as cores, o tamanho e os estilos. Imagine, lembrar-me disso depois de tantos anos! Mas acho que me lembro porque... creio que um mês depois... ou talvez umas seis semanas, li sobre o suicídio. Na minha opinião, devem ter dado um triste diagnóstico no hospital ou na casa de saúde, e eles acharam melhor se matar do que viver um sem o outro.

A sra. Oliver sacudiu a cabeça e continuou seu interrogatório.

— As perucas eram de vários estilos?

— Sim. Uma de mechas cinzentas, outra para festas, outra para a noite, e outra de cachos, muito prática, que podia ser usada com chapéu sem embaraçar o cabelo. Senti não ter visto Lady Ravenscroft outra vez. Soube que, além da doença, ela estava deprimida com a morte de uma irmã gêmea.

— Geralmente os gêmeos são muito ligados — comentou a sra. Oliver.

— Lady Ravenscroft sempre me pareceu uma senhora muito alegre.

As duas suspiraram.

— A senhora acha que eu deveria usar peruca? — perguntou a sra. Oliver, mudando de assunto.

A perita estendeu o braço e passou a mão pelos cabelos da sra. Oliver.

— Não, a senhora tem uma bela cabeleira, com ótimo caimento. Acho — disse, sorrindo, a sra. Rosentelle — que a senhora se diverte bastante, variando de penteado, não é?

— Como descobriu? É verdade! É uma das coisas que mais me divertem.

— A senhora parece uma pessoa que tem prazer em viver — comentou a sra. Rosentelle.

— Tenho mesmo. Creio que é porque a gente nunca sabe o que vai acontecer no dia seguinte.

— No entanto — disse a sra. Rosentelle —, é exatamente por isso que a maioria das pessoas não para de se preocupar um momento sequer!

6
O RELATÓRIO DO SR. GOBY

O sr. Goby entrou na sala e sentou-se no lugar de costume, obedecendo à indicação de Hercule Poirot. Antes, porém, deu uma rápida olhada para os móveis, para selecionar com qual travaria a entrevista. Decidiu-se por um aquecedor elétrico, desligado por causa da estação. O sr. Goby tinha por hábito não se dirigir diretamente às pessoas para quem trabalhava. Geralmente escolhia um nicho, um aquecedor, um aparelho de televisão, um relógio e até um capacho, ou mesmo um tapete. Tirou da pasta alguns papéis.

— Bem, o que descobriu? — perguntou Poirot.

— Coletei vários detalhes — respondeu o sr. Goby, famoso em Londres, talvez em toda a Inglaterra e até no exterior, como coletor de informações. Como realizava verdadeiros milagres era um mistério. Sob suas ordens tinha um pequeno número de funcionários, mas vivia se queixando de que "suas pessoas" (como chamava sua equipe) não eram mais as mesmas. Porém, sempre os resultados das informações espantavam a clientela pela precisão e eficácia. — A sra. Burton-Cox — disse como um coroinha recitando os salmos para os fiéis durante a missa dominical. Com a mesma entonação poderia estar dizendo: "Versículo 3, Capítulo 4, Livro de Isaías." — A sra. Burton-Cox — repetiu o sr. Goby. — Casou-se com Robert Aldbury, grande fabricante de botões, milionário, além de político, pois era membro do Parlamento. Foi morto num acidente de automóvel quatro anos após o casamento. O único filho do casal morreu num acidente também, pouco depois. A herança do sr. Aldbury foi para a esposa, mas a fortuna tinha sido dilapidada e a firma do falecido se encontrava em dificuldades financeiras. O sr. Aldbury deixou também uma soma razoável para uma certa srta. Kathleen Ferrer, com quem o falecido tinha um caso, sem o conhecimento da esposa. A sra. Burton-Cox continuou a carreira política do marido. Três anos após a sua morte, adotou um menino que era filho da srta. Ferrer. Esta moça insistia em atribuir a paternidade da criança ao falecido sr. Aldbury, o que, segundo minhas informações, é difícil de aceitar — prosseguiu o sr. Goby —, pois a srta. Ferrer era bastante promíscua, principalmente em relação a senhores ricos. Afinal, todos nós temos um preço, não é? Espere para ver a conta que eu vou remeter...

— Por favor, prossiga — pediu Poirot.

— A sra. Aldbury, como era então chamada a sra. Burton-Cox, concordou em adotar o menino. A srta. Ferrer, anos mais tarde, tornou-se uma atriz famosa e uma cantora popular de muito sucesso, ficando muito rica. Ela escreveu para a sra. Burton-Cox, comunicando que estava disposta a aceitar o menino de volta. A sra. Burton-Cox recusou; por essa altura, já estava viúva do sr. Burton-Cox, um major do Exército que foi morto na Malásia. Este marido a deixou economicamente bem. Outra informação que obtive é que a srta. Ferrer, que faleceu recentemente, há 18 meses para ser exato, deixou em testamento toda a sua fortuna, bastante volumosa, para seu filho natural: Desmond Burton-Cox.

— Que generosidade! — exclamou Poirot. — De que morreu a srta. Ferrer?

— De leucemia, segundo meu informante.

— O rapaz já recebeu o dinheiro?

— Foi deixado com uma administradora financeira para ser entregue ao herdeiro quando este completar 25 anos.

— Então Desmond será independente e rico! E a sra. Burton-Cox?

— Não tem sido feliz nos seus investimentos. Perdeu muito dinheiro, mas dá para viver moderadamente.

— O rapaz já fez testamento?

— Ainda não sei — disse o sr. Goby —, mas saberei em breve. Tenho meios para conseguir esta informação. Assim que tiver uma resposta, falarei com o senhor.

Com essas palavras, o sr. Goby despediu-se do aquecedor elétrico e retirou-se.

Uma hora e meia depois o telefone tocou.

Hercule Poirot, com uma folha de papel diante dos olhos, estava fazendo uns apontamentos. De vez em quando, levantava as sobrancelhas, torcia os bigodes, riscava um nome, escrevia outro e depois prosseguia nos seus estudos. Quando o telefone tocou, Poirot atendeu logo.

— Obrigado — disse. — Foi muito rápido. Sim... sim... Agradeço... Só gostaria de saber como o senhor arruma essas informações... Sim... sim... Isto ajuda a marcar a posição dos suspeitos. Dá sentido a uma série de coisas sem nexo. Sei... sei... Estou ouvindo... O senhor tem certeza de que é este o caso... Ele sabe que é adotado?... Só não sabe quem é a mãe verdadeira. Muito bem... sei... Ah! Você vai esclarecer esse outro ponto também? Obrigado.

Poirot desligou o telefone e continuou a tomar notas. Passado um certo tempo, o telefone tocou novamente. Poirot atendeu.

— Estou voltando de Cheltenham — disse uma voz inconfundível.

— Ah! *Chère* Madame, já voltou? Esteve com a sra. Rosentelle?

— Estive. Ela é encantadora... Você tinha razão, ela também é um elefante.

— Como assim?

— Ela se lembrou de Molly Ravenscroft.

— Claro.

A sra. Oliver relatou, em poucas palavras, a entrevista que tivera com a cabeleireira.

— Muito bem. Exatamente o que o inspetor Garroway tinha dito: as quatro perucas encontradas pela polícia, uma de cachos, outra para a noite e outras duas menos formais. Quatro.

— Então eu estou repetindo o que você já sabia?

— Não, absolutamente. Segundo você, a cabeleireira disse que Lady Ravenscroft quis duas perucas novas, além das duas que já tinha, e isto umas três ou seis semanas antes do suicídio. Você não acha isso estranho?

— Não, acho até muito natural — respondeu a sra. Oliver. — As pessoas, principalmente as mulheres, estragam as coisas que usam; imagine cabelos postiços! Quem usa peruca deve estar sempre preparada para uma emergência. Um cabelo pode queimar, ou manchar, ou voltar do cabeleireiro com uma cor diferente... não vejo o porquê desta sua animação!

— Não estou animado — retrucou Poirot. — Isto é somente um dado da questão. Agora, explique melhor, por que foi uma francesa que foi encomendar as perucas?

— Pelo que entendi — disse a sra. Oliver —, devia ser uma dama de companhia ou coisa parecida. Lady Ravenscroft estivera ou estava num hospital ou numa clínica de repouso. Enfim, não estava suficientemente bem para ir ao cabeleireiro fazer as encomendas.

— Entendo.

— Por isso mandou a governanta francesa.

— Sabe o nome dessa senhora, pelo menos?

— Não, e não creio que a sra. Rosentelle saiba. A hora foi marcada por Lady Ravenscroft, e a francesa só apareceu com as encomendas para tratar de preço, tamanho, cor etc.

— Bem — suspirou Poirot —, isso me ajuda a dar o próximo passo.

— O que você soube? O que andou fazendo?

— Você é tão incisiva! Sempre acha que fico sentado sem fazer nada.

— Bem, na realidade eu acho que você se senta num canto e pensa — admitiu a sra. Oliver. — Mas vai concordar comigo que não é um homem de ação.

— Breve passarei a ser, se isso lhe agrada. Talvez até vá à França de avião. Não suportaria essa travessia de barco.

— Quer que eu vá também?

— Não — respondeu Poirot. — Acho melhor eu ir sozinho desta vez.

— Quer dizer que está pensando realmente em ir?

— Estou até disposto a correr e voar para apagar a impressão que você tem de mim.

Assim que desligou, Poirot discou outro número. Em poucos instantes, estava falando com o inspetor Garroway.

— Aqui é Hercule Poirot, meu caro inspetor Garroway. Não o estou importunando? O senhor está muito ocupado?

— Não, não estou — respondeu o inspetor. — Estava aparando as roseiras.

— Queria lhe fazer uma pergunta.

— Sobre o duplo suicídio?

— Sim. O senhor me disse que eles tinham um cachorro que costumava passear com eles diariamente...

— Na realidade, falaram num cachorro. Não sei se foi a governanta, ou outra pessoa da casa, que disse que o animal acompanhou o casal no dia do suicídio...

— Quando examinaram os corpos, o senhor sabe se notaram mordidas de cachorro em Lady Ravenscroft, mesmo que não fossem recentes?

— Estranho o senhor mencionar este fato... creio que não me lembraria se o senhor não tocasse no assunto. Ela realmente tinha cerca de duas cicatrizes não muito profundas. Aliás, a governanta nos contou que, uma ou duas vezes, o cachorro tinha atacado a dona, embora não fosse coisa séria. Não havia problema de raiva, se é isso que o senhor está pensando. Não foi essa a *causa mortis*. Ela morreu em consequência do tiro, e o marido também. Não havia problema de envenenamento por infecção ou tétano...

— Não estou culpando o cachorro — disse Poirot. — Estou apenas fazendo uma pequena averiguação.

— A marca de uma das mordidas era bem recente. Não foi necessário tomar vacina. A cicatrização ocorreu sem maiores problemas. Como é mesmo aquela frase?... Foi o cão que morreu... não me lembro do resto.

— De qualquer maneira, não foi o cão que morreu — disse Poirot. — Não era isso o que eu queria saber. Gostaria de conhecer esse cachorro... devia ser muito inteligente!

Depois de ter agradecido a colaboração do inspetor, Poirot desligou o telefone, murmurando:

— Um cão inteligente, mais inteligente do que a própria polícia!

7
Poirot anuncia uma viagem

A srta. Livingstone anunciou o visitante.
— O sr. Hercule Poirot.
Assim que a secretária saiu, Poirot fechou a porta e sentou-se ao lado da sra. Oliver.
— Estou de partida — anunciou em voz baixa.
— O quê? — gritou a sra. Oliver, que sempre se espantava com a maneira soturna que Poirot empregava para fazer as comunicações mais simples.
— Parto. Estou de saída. Vou de avião para Genebra.
— Você fala como se estivesse numa missão para a ONU ou a Unesco...
— Não é bem isso. Vou fazer uma visita.
— Descobriu um elefante em Genebra?
— Talvez até dois...
— Não consegui descobrir mais nada — disse a sra. Oliver. — Não sei o que fazer para continuar o safári...
— Creio que já me falara no irmão mais moço de Celia.
— Sim, chama-se Edward. Conheço-o pouco. Lembro-me de ter ido buscá-lo na escola uma ou duas vezes.
— Onde ele se encontra atualmente?
— Na universidade no Canadá. Creio que fazendo o curso de engenharia. Quer que eu vá ao Canadá tomar informações?
— Não, por enquanto não será necessário. Só queria saber onde encontrá-lo, caso precisasse dele. Creio que ele não estava em casa quando ocorreu o suicídio.
— Você acha que foi ele? Será possível que esteja imaginando que o menino matou o pai e a mãe? Já houve casos assim, eu sei, principalmente com garotos nessa idade...

— Ele estava fora — disse Poirot. — Li os relatórios.

— Você descobriu alguma coisa? Está com uma cara tão animada!

— Estou animado, de certa maneira, pois descobri certas coisas que poderão esclarecer melhor o que já sabemos.

— Esclarecer melhor o quê?

— Agora já me parece possível entender por que a sra. Burton-Cox se aproximou de você daquela forma e tentou obter informações sobre o suicídio dos Ravenscroft.

— Você quer dizer que ela não é apenas uma velha xereta?

— Exatamente. Ela tem um motivo; atrás da pergunta dela talvez esteja o dinheiro.

— Dinheiro? Que dinheiro? Dizem que ela está muito bem financeiramente...

— Ela tem o suficiente para viver! O filho que ela considera como um filho verdadeiro fez um testamento induzido por ela ou por um advogado dela, deixando todo o seu dinheiro para a mãe adotiva, caso morra. Desmond sabe que foi adotado, não sabe, porém, quem são seus pais verdadeiros. O fato é que ele pretende deixar todo o dinheiro para a mãe adotiva. Certamente nessa época ele não tinha mais ninguém para quem deixar.

— Não sei o que isso tem a ver com o suicídio dos pais de Celia.

— Está claro. Ela queria desencorajar o casamento. Caso Desmond tenha uma namorada, e eventualmente se case, o que geralmente acontece quando as pessoas são jovens, a sra. Burton-Cox não herdaria o dinheiro do filho, pois provavelmente ele faria outro testamento, deixando o dinheiro para a esposa e não para a mãe adotiva.

— E você acha que a sra. Burton-Cox quer evitar que isso aconteça?

— Ela quer descobrir algo que o faça desistir de casar com Celia. Creio que a esperança dela é de que a mãe de Celia tenha matado o marido e depois se suicidado. É o tipo de sugestão que poderia influenciar um rapaz inexperiente. Agora, se o pai matou a mãe, a coisa muda de figura...

— Como se ele fosse achar que a moça herdaria tendências assassinas da mãe e não do pai?

— Não tão esquematicamente assim, mas no fundo é isso.

— Mas ele é rico? Um filho adotivo?

— Ele desconhece sua origem, mas sua mãe verdadeira foi uma atriz e cantora famosa, muito rica, que já morreu. Parece que ela quis reaver o filho, mas a sra. Burton-Cox não concordou... sei que essa mulher deve ter pensado muito no filho, pois acabou deixando o dinheiro para ele. Essa fortuna só será entregue quando ele completar 25 anos. Portanto, é claro que a sra. Burton-Cox não quer que ele case ou, pelo menos, se se casar, que seja com uma moça a quem ela possa dominar.

— Isso me parece bem possível. Ela não é flor que se cheire.

— Não é mesmo — concordou Poirot.

— Por isso, ela não queria que você investigasse — disse a sra. Oliver —, pois sabia que acabaria descobrindo o jogo dela.

— Talvez.

— Que mais você descobriu?

— Descobri, há poucas horas, para ser exato, durante um telefonema para o inspetor Garroway, que a cozinheira dos Ravenscroft era quase cega, quase surda e muito velha.

— E daí?

— Ainda não sei — disse Poirot. — Está na hora de eu ir embora.

— Vai direto para o aeroporto?

— Não, meu avião é amanhã de manhã. Tenho um lugar para ir antes. O carro está lá fora me esperando.

— Que lugar é esse? — perguntou a sra. Oliver, curiosa.

— Um lugar que eu preciso sentir mais do que ver — respondeu Poirot. — Exatamente isso, sentir e tomar conhecimento do que estou sentindo.

8
Interlúdio

Hercule Poirot atravessou o portão da igreja. Tomou um atalho e parou perto de uma parede recoberta de hera. Examinou uma sepultura. Depois olhou para a cidadezinha e para o mar. Seus olhos se voltaram para a lápide, que estava coberta de flores colocadas recentemente. Um maço de flores silvestres, como se o buquê tivesse sido arrumado por uma criança. Mas Poirot sabia que não tinha sido uma criança.

Leu cuidadosamente a inscrição:

Em memória de
Dorothea Jarrow,
falecida em 15/9/1960

e de sua irmã
Margaret Ravenscroft,
falecida em 3/10/1960

esposa de
Alistair Ravenscroft,
falecido em 3/10/1960
nem a morte os separou.
Perdoai os nossos devedores,
Assim como nós perdoamos suas dívidas.
Deus tenha piedade de nós,
Deus tenha piedade de nós,
Deus tenha piedade de nós.

Poirot ficou parado uns instantes, sacudindo a cabeça. Retirou-se do cemitério e se dirigiu, por outro atalho, para o despenhadeiro. Parou em frente ao mar.

"Sei agora o que aconteceu e por quê...", murmurou para si mesmo. "Compreendo a dor e a tragédia. Precisei recuar tanto no tempo para compreender que 'no final está o meu começo'. Ou melhor, 'no meu começo está escrito o meu trágico final'. A moça suíça devia saber de tudo. Será que ela falará? Desmond acha que sim e talvez por ele e Celia ela fale, pois não poderão aceitar a vida, se não souberem de toda a verdade."

9
Maddy e Zélie

— Mademoiselle Rouselle? — perguntou Poirot, inclinando-se.

Ela estendeu a mão. "Deve ter uns cinquenta anos", pensou Poirot. Uma mulher dominadora, inteligente, intelectual, tranquila, que se diverte com os prazeres e sofre com os dissabores que o destino lhe traz.

— Já ouvi falar do senhor — disse ela —, pois tem amigos aqui e na França. Não sei em que lhe posso ser útil. Sei, sei que explicou na carta... trata-se de um caso antigo, não? Das causas? Não exatamente das causas, mas das pistas, não é? Sente-se nesta cadeira, por favor, é mais cômoda. Sirva-se destes *petits-fours* e, se quiser beber, não faça cerimônia.

Era uma pessoa hospitaleira, mas sem se esforçar, despreocupada, mas interessada no bem-estar dos convidados.

— A senhorita foi governanta de uma família, os Preston-Grey? Talvez não se lembre mais deles.

— Não creio que esqueçamos o que acontece quando somos jovens. Era uma família com uma menina e um menino, uns quatro anos mais moço que ela. O pai tinha sido promovido a general.

— Havia também a irmã da esposa.

— Eu me lembro... mas ela não estava com eles quando eu cheguei. Acho que era muito franzina, com a saúde abalada; estava se tratando numa clínica.

— Lembra-se do nome de batismo da mãe?

— Margaret. Da irmã é que eu não me lembro.

— Dorothea.

— Isso mesmo. Um nome raro, embora elas se tratassem pelos apelidos de Dolly e Molly. Eram duas jovens muito bonitas.

— E se davam bem?

— Muito bem. Mas o senhor não está fazendo uma pequena confusão? Preston-Grey não era o sobrenome das crianças para quem eu dava aula. Dorothea Preston-Grey casou-se com um major, cujo nome não me lembro agora. Arrow? Não, Jarrow. Margaret casou-se com...

— Ravenscroft.

— Exatamente. Estranho como esquecemos certos nomes — comentou a srta. Rouselle. — Os Preston-Grey eram os pais delas. Margaret esteve num *pensionnat* aqui na Suíça; depois de casada, escreveu para Madame Benoit, diretora do *pensionnat*, pedindo uma governanta instrutora para cuidar dos filhos. Eu fui indicada e aceitei o cargo. Não conheci bem a irmã, porque ela passou pouco tempo conosco. Lady Ravenscroft tinha dois filhos: uma menina de uns cinco ou seis anos chamada Rosalind ou Celia.

— Celia.

— Eu sabia que era o nome de uma heroína de Shakespeare. O menino tinha uns três ou quatro anos e chamava-se Edward. Era muito levado, mas também muito simpático. Gostei muito de trabalhar com eles.

— Parece que eles também gostaram muito da senhorita. Ouvi dizer que jogavam e brincavam o dia inteiro.

— *Moi, j'aime les enfants* — disse a srta. Rouselle.

— As crianças a tratavam de Maddy?

Ela riu.

— Gosto de ouvir este nome, traz muitas lembranças...

— A senhorita conheceu um menino chamado Desmond? Desmond Burton-Cox?

— Sim, acho que morava vizinho ou pelo menos perto. Tínhamos muitos vizinhos, e as crianças viviam se reunindo. Sim, lembro-me bem do Desmond.

— Quanto tempo ficou com os Ravenscroft?

— No máximo uns três ou quatro anos. Tive que voltar porque minha mãe estava muito doente. Eu sabia que ela ia morrer e, portanto, precisava cuidar dela. Na verdade, ela faleceu um ano e meio ou dois depois da minha volta. Mais tarde, fundei um *pensionnat* para moças que quisessem estudar línguas. Não voltei mais à Inglaterra, mas, por cerca de dois anos, mantive contato com eles. As crianças costumavam me mandar sempre um cartão de Natal.

— Na sua opinião, o general Ravenscroft e a esposa viviam bem?

— Muito bem. Eles adoravam os filhos.

— O casal tinha muitas afinidades?

— Penso que sim; diria mesmo que eles possuíam todas as qualidades necessárias para serem felizes um com o outro.

— Lady Ravenscroft, segundo ouvi dizer, adorava a irmã. Na sua opinião, esse sentimento era recíproco?

— Bem, não tive tempo suficiente para julgar. Francamente achei Dolly, como era chamada, um caso psiquiátrico. Algumas vezes se comportava de maneira estranha. Parecia ser uma mulher ciumenta; ouvi dizer que tinha sido noiva do general. Parece que ele se apaixonou por ela e depois se apaixonou pela irmã, o que foi uma sorte, pois Molly sempre me pareceu uma mulher normal e equilibrada. Já Dolly era ambivalente; às vezes adorava a irmã, outras vezes a odiava. Tinha ciúme das crianças. Existe uma pessoa que pode lhe dar melhores informações do que eu: Mademoiselle Meauhorat. Mora em Lausanne e foi trabalhar para os Ravenscroft um ano e meio depois que eu tive que me despedir. Ficou muito tempo com eles. Anos depois, quando Celia veio estudar aqui, ela voltou para fazer companhia a Lady Ravenscroft.

— Eu vou vê-la; aliás, já tenho o endereço — disse Poirot.

— Ela sabe muito mais do que eu. É uma pessoa encantadora e de muita confiança. A tragédia aconteceu muito depois, e ela, mais do que ninguém, deve conhecer os motivos que levaram o general e a esposa a cometerem tal desatino. Para mim, ela nunca falou coisa alguma. Se vai confiar no senhor, não sei. Tudo é possível.

Poirot ficou uns instantes examinando a srta. Meauhorat. Se tinha ficado impressionado com a srta. Rouselle, a mulher que no momento o recebia também lhe causou um forte impacto; não era tão imponente, talvez fosse um pouco mais moça, pelo menos uns dez anos, mas possuía outras qualidades marcantes. Tratava-se de uma mulher vibrante, atraente, de olhar penetrante e julgador, um olhar disposto a dar boas-vindas sem demonstrar uma ternura excessiva.

"Uma pessoa interessante", pensou Hercule Poirot.

— Sou Hercule Poirot, Mademoiselle.

— Eu sei, já o estava aguardando.

— Recebeu minha carta?

— Não. Deve estar certamente ainda no correio. As cartas aqui não chegam com a frequência desejada. Recebi, porém, outra carta...

— De Celia Ravenscroft?

— Não, de uma pessoa ligada a Celia. Um jovem chamado Desmond Burton-Cox, que me avisou que o senhor ia chegar.

— Muito bem... Desmond é um rapaz inteligente que não perde tempo; aliás, foi ele que insistiu para que eu viesse vê-la.

— Foi o que eu pensei. Surgiu um problema que ele e Celia querem resolver. Eles acham que o senhor pode ajudá-los.

— E acham também que a senhorita pode me ajudar.

— Parece que se amam e querem se casar.

— Porém algumas pessoas estão criando certas dificuldades.

— Uma delas é a mãe de Desmond, certamente. Pelo menos foi o que ele deu a entender.

— Certos fatos relacionados com Celia colocaram a mãe do rapaz contra ela.

— Ah! Por causa da tragédia? Foi realmente uma tragédia.

— Concordo com a senhorita. A mãe de Desmond pediu à madrinha de Celia que averiguasse e descobrisse a verdade sobre o suicídio.

— Por quê? — perguntou a srta. Meauhorat, fazendo um gesto com a mão. — Por favor, sente-se. Temos muito que conversar.

— Celia não pôde contar coisa alguma à madrinha, a sra. Oliver.

— Ela não estava presente quando ocorreu o suicídio, eu sei. Também não lhe contaram o que tinha acontecido. Na época, acharam que seria a melhor solução.

— E a senhorita concorda ou discorda disso?

— Não sei ao certo. É uma pergunta difícil de responder. Ainda hoje não sei, e lá se vão tantos anos! Celia, ao que me conste, nunca se preocupou muito com o porquê e o como. Aceitou como quem aceita um desastre de avião ou de automóvel. Enfim, um acidente que ocasionou a morte dos pais. Passou anos num *pensionnat*, aqui na Suíça.

— E a senhorita era a diretora desse *pensionnat*?

— É verdade. Aposentei-me há pouco. Uma colega minha tomou a direção. Porém, naquela época, me perguntaram qual a escola que eu aconselharia para Celia terminar seus estudos. Eu poderia ter recomendado várias, mas preferi que ela ficasse comigo.

— E Celia nunca lhe perguntou coisa alguma?

— Não, não, pois isso foi antes da tragédia.

— Como assim?

— Umas semanas antes do suicídio, Celia veio à Suíça. Eu estava na Inglaterra com os Ravenscroft, acompanhando Lady Ravenscroft. Minhas funções de instrutora tinham cessado, pois Celia estava no colégio interno. Sei que resolveram que Celia devia estudar na Suíça...

— Lady Ravenscroft não andava bem de saúde?

— É verdade, se bem que não era nada grave. Ela temia que fosse algo muito sério, pois sofria de tensão nervosa e outros problemas...

— A senhorita ficou com ela?

— Sim, e minha irmã recebeu Celia, em Lausanne; matriculou-a numa escola particular. Era uma instituição com umas 15 ou 16 meninas, e ela começou a estudar imediatamente. Eu cheguei umas três ou quatro semanas depois.

— Mas estava em Overcliffe quando ocorreu o suicídio?

— Sim, estava. O general e Lady Ravenscroft saíram para dar uma volta, como de costume. Só que não voltaram; mais tarde foram encontrados mortos a tiros. O revólver entre os dois; as impressões digitais de ambos na arma que pertencia ao general. Era uma pistola que ele guardava numa gaveta de seu escritório. Impossível descobrir quem tinha dado o último tiro. O veredicto foi duplo suicídio.

— A senhorita também não teve dúvidas?

— A polícia não duvidou.

— Sei — murmurou Poirot.

— Como? — perguntou a srta. Meauhorat.

— Nada, nada — respondeu Poirot. — Estava pensando em voz alta.

Poirot olhou para ela. Seus cabelos castanhos, entremeados de alguns fios cinzentos, os lábios firmes, os olhos cinza e um rosto que não demonstrava emoção. Absoluto controle pessoal!

— É tudo o que sabe?

— É. Afinal foi há tanto tempo.

— A senhorita se lembra perfeitamente do número de anos...

— Impossível esquecer uma coisa dessas...

— A senhorita também concordou em não contar os detalhes da tragédia a Celia?

— Que detalhes? Já não contei tudo o que sei?

— A senhorita estava morando na casa. Devia ter voltado da Suíça umas três ou quatro semanas antes...

— Mais, até. Embora eu tivesse sido professora de Celia, desta vez eu tinha voltado para fazer companhia a Lady Ravenscroft...

— Nessa época a irmã de Lady Ravenscroft também estava hospedada com eles?

— Sim, tinha tido alta, e os médicos acharam que seria aconselhável que ela voltasse às atividades normais. Como Celia estava fora, pareceu a Lady Ravenscroft uma boa oportunidade para hospedar a irmã.

— Elas se davam bem?

— É difícil dizer — respondeu a srta. Meauhorat, franzindo a testa, como se Poirot tivesse tocado num assunto delicado. — Já fiz a mim mesma esta pergunta várias vezes. Eram gêmeas, idênticas, ligadas por um forte laço de dependência e amor. Eram também semelhantes em vários aspectos; e em outros totalmente diferentes...

— Em que sentido? Gostaria que a senhorita me explicasse melhor.

— Não tem relação alguma com o suicídio. Existia uma falha mental ou física bem pronunciada nas duas. Atualmente certas autoridades insistem que os gêmeos univitelinos nascem com grande afeição um pelo outro, além da semelhança física; que possuem personalidades idênticas e que, embora criados em ambientes diferentes, têm o mesmo destino quando se tornam adultos. Tomam o mesmo rumo na vida. Alguns casos citados pelos médicos são extraordinários. Duas gêmeas, por exemplo, uma vivendo na França e a outra na Inglaterra, resolvem comprar, na mesma época, um cachorro da mesma raça. Escolhem o mesmo tipo de homem para casar; se ficam grávidas, é ao mesmo tempo. É como se seguissem um padrão, não importa onde estejam e geralmente desconhecendo o que o outro irmão está fazendo. O oposto é a revolta, um quase ódio que faz os irmãos se separarem e procurarem escapar da semelhança que existe entre ambos. Isto pode acarretar sérios problemas.

— Já ouvi falar nisso — disse Poirot — e já observei casos semelhantes. O amor pode facilmente se transformar em ódio. Às vezes é mais fácil odiar a criatura amada do que se tornar indiferente em relação a ela.

— Ah! O senhor também sabe disso?

— Como disse, já vi casos assim. A irmã de Lady Ravenscroft era muito parecida com ela?

— No que concerne à aparência física, sim. Mas quanto à expressão do rosto, não. A irmã vivia em estado de tensão. Odiava crianças, não sei por quê. Talvez tenha tido um aborto ou quisesse ter filhos e não pudesse. Só sei que tinha aversão manifesta por crianças...

— O que já havia ocasionado graves problemas...

— Já lhe contaram?

— Sim, e pessoas que as conheceram na Malásia. A irmã Dolly foi visitar os Ravenscroft, e ocorreu um acidente pelo qual ela foi responsabilizada. Não puderam provar coisa alguma, mas sei que o general conseguiu remover a cunhada e a internou numa clínica na Inglaterra.

— Realmente, parece que foi isso que aconteceu, mas nunca soube maiores detalhes sobre o caso.

— Mas existem outros detalhes que a senhorita sabe...

— Que não vejo necessidade de me lembrar agora. Uma vez encerrado o caso, não é melhor sepultá-lo?

— Nem sempre, principalmente em Overcliffe, onde tantas coisas aconteceram. Talvez um duplo suicídio, ou um crime, ou outro acidente qualquer. Por uma frase que a senhorita disse, sei que sabe o que realmente aconteceu, e o que vinha acontecendo quando Celia foi para a Suíça e a senhorita foi para Overcliffe. Vou fazer só uma pergunta e gostaria de saber sua resposta. Não se trata de uma informação direta, e sim de observação. Quais os sentimentos do general Ravenscroft em relação às irmãs?

— Sei o que quer saber.

A atitude dela se modificou como se tivesse perdido o ar defensivo. Debruçou-se sobre o braço da poltrona e falou com Poirot, como se estivesse se libertando do peso de mil anos.

— As duas irmãs quando moças foram lindas. Era o que todos diziam. O general se apaixonou por Dolly, a desequilibrada mental, que era a mais bonita, além de ser a mais atraente, sexualmente falando. Parece que se apaixonou perdidamente, mas não sei se sentiu ou percebeu qualquer anomalia, que o fez recuar. Creio que notou os sintomas incipientes de insanidade e transferiu sua afeição para a outra irmã, com quem se casou.

— Isto quer dizer que ele amou as duas. Não simultânea, mas alternadamente.

— Ele adorava Molly, confiava nela e era correspondido. O general era um homem muito fácil de se amar.

— Desculpe-me... mas creio que a senhorita também estava apaixonada por ele.

— Como se atreve?!

— Não estou insinuando que a senhorita fosse amante dele. Só disse que o amava.

— É verdade, eu o amava — disse Zélie Meauhorat. — Acho que ainda o amo. Não me envergonho disso. Ele confiava e se apoiava em mim, mas não me amava. Eu não exigia mais; só amá-lo e poder servi-lo era o bastante. Confiança, fé, amizade em mim...

— Era com o que ele contava — completou Poirot. — Principalmente na hora da crise. Sei que aconteceram coisas que a senhorita não gostaria de revelar, mas essas coisas vieram a mim por várias fontes: pessoas que conheceram Lady Ravenscroft, quando ainda era Molly Preston-Grey. Sei também da tragédia de Dolly, da dor, da infelicidade e também do ódio, da maldade, do desejo de destruição que tomou conta dela. Se ela amava o general, deve ter ficado furiosa quando sua irmã se casou com ele. Talvez nunca a tenha perdoado. Mas e Molly? Será que ela amava ou odiava a irmã?

— Sei que ela amava a irmã profundamente — respondeu Zélie —; um amor sincero e protetor. Era ela quem queria a irmã perto dela em casa; era ela quem queria proteger a irmã da infelicidade, do perigo das violentas crises de ódio que a possuíam. Sei que às vezes tinha medo. Mas não preciso repetir o que o senhor já sabe, como, por exemplo, a aversão que Dolly tinha pelas crianças.

— Então ela não gostava de Celia?

— Ela não gostava do irmão, Edward. Por duas vezes ele quase morreu: numa, por pouco não foi atropelado, e na outra, quando ela teve uma discussão violenta com o menino. Sei que Molly suspirou de alívio quando ele foi para o internato. Edward era bem mais jovem que Celia, devia ter uns oito ou nove anos, e era bem mais vulnerável do que a irmã. Molly vivia preocupada com a segurança dele.

— Agora compreendo por quê. Se me permite, gostaria de falar sobre perucas: quatro em particular. Não acha que é demais para uma pessoa só? Sei como eram as perucas e sei quem as fornecia. Sei que uma senhora francesa as encomendou quando foi necessário. Sei de um cachorro, que geralmente acompanhava o casal quando este saía para passear, e sei que este cachorro mordeu a dona.

— Os cachorros são assim — disse Zélie. — Impossível confiar neles.

— Vou dizer o que acho que aconteceu no dia da tragédia e o que a ocasionou.

— E se eu não quiser ouvir?

— A senhorita vai ouvir, mesmo que seja para me desmentir. Sei que será capaz disso, mas não creio. Se pudesse acreditar em mim saberia que essa história está precisando é da verdade, não da fantasia ou da suspeita. Uma moça e um rapaz que se amam temem o futuro por causa do que aconteceu com os pais e da maldição que poderiam herdar. Eu estou pensando neles, em Celia, uma moça rebelde, de personalidade, difícil de entender, mas inteligente e que merece ser feliz. Ela e o noivo precisam da verdade e só poderão ser felizes se enfrentarem essa verdade com a coragem necessária que todos nós necessitamos, se quisermos viver a vida em toda a plenitude. Quer me ouvir agora?

— Sim — respondeu Zélie. — Quero. Creio que entende a situação e sabe mais do que eu supunha pudesse saber. Fale, sou toda ouvidos.

10
O inquérito final

Novamente Hercule Poirot caminhou em direção ao despenhadeiro. Olhou os rochedos, embaixo, castigados pelo mar. Neste lugar dois acidentes trágicos haviam ocorrido: uma sonâmbula perdera o equilíbrio e morrera em consequência da queda; três semanas depois, o casal Ravenscroft fora encontrado morto.

— Por quê? — foi a pergunta do inspetor Garroway. Por quê? Por quê?

Primeiro um acidente, três semanas depois, um duplo suicídio. Marcas profundas de antigos pecados. Um começo que levou anos para chegar a um fim trágico.

Hoje várias pessoas se encontrariam neste local: um rapaz e uma moça que procuravam a verdade e duas pessoas que já conheciam essa verdade.

Hercule Poirot deu as costas para o mar e se colocou de frente para a casa chamada Overcliffe. Não era distante, pois ele podia ver alguns carros estacionados perto do muro e o contorno da casa contra o céu. Viu que a casa estava à venda e que necessitava de uma pintura. O nome Overcliffe sobre o portão estava riscado, pois seria substituído por outro. Poirot caminhou em direção de Celia Ravenscroft e Desmond Burton-Cox.

— Arranjei uma chave com o corretor — disse Desmond —, caso a gente precise ver a casa por dentro. Disse a ele que nós precisávamos ver a vista antes de fecharmos negócio. A casa já teve dois proprietários nos últimos cinco anos. Creio que não será necessário entrarmos.

— Acho que não — disse Celia. — Ainda mais que já pertenceu a tanta gente. Primeiro foram os Archer, depois, os Farrowfield, que se queixaram que era muito afastada. Agora está novamente à venda. Talvez seja mal--assombrada.

—Você acredita nisso? — perguntou Desmond.

— Claro que não — respondeu Celia. — Se bem que seja possível, depois de tudo que aconteceu...

— Eu acredito que não — interveio Poirot. — A casa conheceu a dor e a morte, mas também o amor.

Um táxi se aproximava pela estrada.

— Deve ser a sra. Oliver — disse Celia. — Ela disse que tomaria um táxi na estação.

Duas mulheres saltaram do automóvel. Ao lado da sra. Oliver, uma mulher alta, magra e elegante. Como Poirot esperava, não se surpreendeu; procurou observar a reação de Celia.

— Oh! — exclamou Celia, correndo para a senhora, com o rosto iluminado pela alegria.

— Zélie! Zélie! É você mesmo? Que bom! Eu não sabia que você viria...

— Monsieur Poirot pediu que eu viesse.

— Entendo — disse Celia. — Pelo menos acho que entendo. Mas eu não... — Celia calou-se e olhou para o namorado. — Desmond, foi você?

— Sim, eu escrevi para a srta. Meauhorat, ou Zélie, se é que ainda posso chamá-la assim.

—Vocês dois sempre poderão me chamar de Zélie. Eu não sabia se queria vir ou não. Se esta seria a melhor solução. Ainda não sei, mas espero que tudo dê certo.

— Quero saber — disse Celia. — Nós dois queremos saber. Desmond achou que você poderia nos ajudar.

— Monsieur Poirot veio ver-me — disse Zélie — e me convenceu a vir.

Celia deu o braço para a sra. Oliver.

— Queria que a senhora também viesse porque, se não fosse sua ajuda, não teríamos a colaboração de Monsieur Poirot.

— As pessoas me contaram coisas — disse a sra. Oliver —, principalmente as pessoas que eu pensava poderiam se lembrar de certas coisas. Algumas se lembraram corretamente, outras não. Foi uma confusão, apesar de Poirot insistir que não teve a menor importância.

— O importante é separar os fatos dos boatos, pois destes podemos extrair algumas verdades ou algumas explicações. Com os fatos que você coletou para mim, baseados nas informações dos elefantes...

— Elefantes? — inquiriu Zélie.

— É como ela chama certas pessoas.

— Os elefantes não esquecem — explicou a sra. Oliver. — Parti dessa premissa. As pessoas, como os elefantes, são capazes de se lembrar de coisas ocorridas há muitos anos. É claro que isso não é uma regra; algumas se lembram mais do que outras. Com essas informações, Poirot fez uma espécie de diagnóstico.

— Fiz uma lista — disse Poirot. — Uma lista das coisas que me pareceram os indícios da verdade. Lerei os vários itens para ver se os senhores, que estiveram ligados à tragédia, poderão encontrar qualquer significado. Veremos se descobrem ou não.

— O que queremos saber — interrompeu Celia — é se foi suicídio ou assassinato, ou se foi uma pessoa de fora que matou meus pais por algum motivo. Na minha opinião, foi isto o que aconteceu.

— Ficaremos aqui — disse Poirot. — Por enquanto não precisaremos entrar na casa. Já foi habitada por outras pessoas e possui outras vivências. Quando terminarmos o inquérito, talvez entremos um pouco.

— Inquérito? — perguntou Desmond.

— Inquérito para descobrir o que aconteceu — respondeu Poirot, dirigindo-se para os bancos de pedra debaixo do caramanchão. Em seguida, abriu a pasta e tirou uma folha de papel manuscrita.

— Para a senhorita o que aconteceu foi um suicídio ou crime, não é?

— Ou um ou outro — respondeu Celia.

— Direi que as duas coisas aconteceram, além de outras mais. Segundo minha teoria, temos não apenas um crime e um suicídio, como também uma execução e uma tragédia. O drama de duas pessoas que se amavam e que morreram por amor. Uma tragédia amorosa não necessariamente igual à de Romeu e Julieta; nem só os jovens sofrem as penas do amor e estão dispostos a morrer por ele.

— Não compreendo — disse Celia.

— Ainda é cedo.

— Mas será que vou entender?

— Acho que sim — respondeu Poirot. — Contarei o que penso deve ter acontecido e como cheguei a essa conclusão. O que primeiro chamou minha atenção foram os detalhes não explicados pela averiguação policial. Coisas sem importância como, por exemplo, o fato de Margaret Ravenscroft possuir quatro perucas. — Fez uma ligeira pausa e repetiu com ênfase: — Quatro perucas!

Poirot olhou para Zélie.

— Ela não usava peruca o tempo todo — disse Zélie. — Só quando viajava, quando o cabelo estava rebelde ou tinha pressa de sair.

— Era moda naquele tempo — disse Poirot — as mulheres viajarem com uma ou duas perucas. Já Lady Ravenscroft possuía quatro, o que me pareceu excessivo. Fiquei cismado! Uma das perucas tinha mechas cinzentas, soube depois pela cabeleireira. Outra tinha cachos, e foi usando essa peruca que ela foi encontrada morta.

— O que tem isso? — perguntou Celia. — Que diferença faz?

— Outro fato interessante é que a cozinheira havia informado à polícia que Lady Ravenscroft estava usando a mesma peruca nas últimas quatro semanas antes de morrer. Devia ser a sua favorita.

— Mesmo assim não vejo...

— Uma expressão do inspetor Garroway me ficou na memória: Muda-se o pássaro, mas a plumagem é a mesma!

— Mesmo assim eu não vejo...

— E não devemos esquecer o cachorro...

— O cachorro? O que ele tem a ver com isso?

— O cachorro mordeu-a, e todos diziam que ele a adorava... porém, nas últimas semanas de sua vida, o cachorro a atacou duas vezes.

— Como se soubesse que ela iria cometer suicídio? — perguntou Desmond.

— Não, a resposta é bem mais simples.

— Mas...

— Ele simplesmente sabia o que os outros ignoravam. O cachorro sabia que aquela não era sua dona, era uma mulher idêntica à dona. A cozinheira, que era um pouco cega e um pouco surda, viu e ouviu uma mulher que usava as roupas e a peruca de Margaret Ravenscroft; só notou uma pequena diferença na maneira de ser tratada: a mesma plumagem, mas o pássaro é outro, foi a expressão de Garroway. Foi aí que me veio a ideia e mais tarde a certeza: a mesma peruca, mas a mulher era outra. O cão sabia por causa do faro e porque detestava a mulher que tinha substituído sua dona. Mas quem seria a mulher que tomara o lugar de Lady Ravenscroft? Seria sua irmã gêmea Dolly?

— Mas isso seria impossível! — exclamou Celia.

— Não, não seria. Lembre-se de que eram irmãs gêmeas. Preciso agora relacionar os fatos colhidos pela sra. Oliver, não só o que foi dito como também o que foi sugerido. O fato de Lady Ravenscroft ter estado num hospital ou numa casa de saúde e de lhe terem informado que ela estava com câncer ou pelo menos pensava que estava. Os exames médicos, no entanto, provaram o contrário. Talvez Lady Ravenscroft pensasse estar com câncer, mas não era isso que a preocupava. Aos poucos tomei conhecimento da infância das gêmeas, que se adoravam; que usavam as mesmas roupas e a quem as coisas aconteciam ao mesmo tempo. Casaram-se na mesma época, com diferença de dias. E como também é muito comum entre gêmeos, um dia resolveram ser inteiramente diferentes. O pior é que entre ambas surgiu ressentimento, ódio. A razão foi o fato de Alistair Ravenscroft, quando jovem, ter se apaixonado por Dorothea Preston-Grey. Depois, apaixonou-se e casou-se com a outra irmã, Margaret. O ciúme entre ambas resultou no estremecimento de relações. Margaret, porém, continuou a amar a irmã com toda a devoção, mas Dorothea, por seu lado, passou a odiá-la. Para mim, isto explica muitas coisas. Embora não tivesse culpa, Dorothea era uma figura trágica e, por algum acidente genético de nascimento ou características hereditárias, tornou-se mentalmente desequilibrada. Desde cedo tomou uma aversão profunda por crianças, acreditando-se que tenha ocasionado a morte de uma delas, apesar de não terem provado coisa alguma. Um médico aconselhou sua internação, e ela passou alguns anos num asilo. Quando recebeu alta, voltou à vida normal, hospedou-se na casa da irmã e foi até a Malásia passar uns tempos com ela. Outro acidente, dessa vez com o filho de uma vizinha. Mais uma vez as provas de culpabilidade foram vagas, mas as suspeitas recaíram sobre Dolly. O general levou-a de volta para a Inglaterra e internou-a novamente. Quando recebeu alta, depois de um longo tratamento psiquiátrico, aconselharam-na a voltar às atividades normais. Margaret acreditou que, dessa vez, não haveria problemas e achou melhor ficar com a irmã para poder tomar conta dela, além de poder observar de perto qualquer manifestação de loucura. Creio que o general foi contra, pois devia ser partidário da teoria de que assim como uma pessoa pode nascer deformada, ou aleijada, a cunhada possuía uma deformação mental que se manifestaria novamente. Na opinião dele, ela deveria ficar internada e vigiada a fim de evitar a ocorrência de outra tragédia.

— O senhor quer dizer que foi ela quem matou os Ravenscroft? — perguntou Desmond.

— Não. Acho que Dorothea matou a irmã quando caminhavam perto daqui — respondeu Poirot, apontando para o despenhadeiro. — Deve ter empurrado a irmã, numa crise repentina de inveja ou raiva por ver uma pessoa tão semelhante a ela fisicamente e tão diversa mentalmente. O ódio, o ciúme, a vontade de matar dominaram a pobre. Existe, no entanto, uma pessoa que sabe de tudo e que estava na casa nessa época. Estou me referindo a Mademoiselle Zélie.

— Sim — disse Zélie —, eu sabia. Os Ravenscroft estavam preocupados com ela desde que tentara machucar o filho do casal. Enviaram o menino para o internato, e eu e Celia fomos para a Suíça. Assim que instalei Celia num *pensionnat*, voltei para a Inglaterra. A casa, sem as crianças, parecia desanuviada. Porém, um dia, deu-se o acidente. As duas irmãs saíram para dar uma volta, e Dolly voltou sozinha. Parecia nervosa e agitada quando se sentou à mesa para tomar chá. Nesse instante, o general notou que a mão dela estava suja de sangue e perguntou se ela tinha caído. "Não foi nada", ela respondeu, "me arranhei numa roseira." Mas não existiam roseiras por aqui. A desculpa era tão disparatada que nos alarmou. O general saiu, e eu fui atrás. Enquanto caminhávamos, ele dizia: "Aconteceu algo com Margaret, tenho certeza." Encontramos a pobre Lady Ravenscroft caída perto das rochas, coberta de areia e pedras. Não estava morta, mas sangrava muito. Por um momento, ficamos sem saber o que fazer; não nos atrevíamos a mexer nela, com medo de que morresse. Precisávamos chamar um médico, mas ela se agarrou ao marido: "Sim, foi Dolly", disse ela, lutando para não perder a respiração. "Ela não sabe o que faz. Não sabe, Alistair... Você não deve deixar que eles a maltratem... ela não sabe por que faz essas coisas... é mais forte do que ela. Prometa, Alistair, prometa porque eu estou morrendo... Não, não chame médico algum, não vai dar tempo. Estou me esvaindo em sangue, sei que morrerei daqui a pouco. Prometa que vai salvá-la, que não vai deixar a polícia prendê-la. Prometa que ela não será condenada pela minha morte como uma criminosa. Esconda-me para que não descubram meu corpo. É a última coisa que peço, e você tem que me ouvir porque é a pessoa a quem eu mais amo no mundo. Se eu pudesse viver por você, eu viveria, mas é impossível... só consegui me arrastar até aqui... Por favor, prometa. E você, Zélie, que eu sei que me ama também, que sempre foi tão boa comigo e que ama tanto as crianças, por favor, salve Dolly. Salve minha pobre irmã. Pelo nosso amor, salve Dolly..."

— O que fizeram então? — perguntou Poirot. — Como resolveram...

— Ela morreu, e eu o ajudei a esconder o corpo. Achamos uma gruta e cobrimos o cadáver com umas pedras. Só se chega a essa gruta galgando o despenhadeiro ou vindo direto pelo mar. Alistair repetia: "Eu prometi, eu prometi, preciso cumprir minha palavra... Não sei o que fazer, não sei como poderei salvá-la, não sei..."

— Mas nós cumprimos a promessa — prosseguiu Zélie. — Dolly, em casa, estava assustada, desesperadamente assustada e, ao mesmo tempo, satisfeita por ter eliminado a irmã: "Eu sabia, sempre soube que Molly era má. Ela não podia ter tirado você de mim, Alistair. Você era meu, mas ela fez você se casar com ela, e eu sabia que um dia acertaria as contas. Sempre soube. Mas que devo fazer agora? Estou com medo. O que eles farão comigo? Não posso, não posso voltar para a casa de saúde... eu não suportaria. Por favor, não me interne novamente. Tenho medo de que eles me acusem de assassinato. Mas eu não sou uma assassina, eu simplesmente precisava acabar com Molly... Às vezes preciso eliminar uma pessoa. Queria ver sangue, mas não pude ver Molly morrendo... Fugi, mas sabia que ela iria morrer. Minha única esperança era que você não a encontrasse. Faça de conta que ela escorregou. As pessoas vão dizer que foi um acidente..."

— Que horror — disse Desmond.

— Sim — concordou Celia. — Mas estou satisfeita com a verdade. Sinto até pena de minha mãe. Ela era tão boa, sem o menor traço de maldade ou malícia. Agora compreendo por que meu pai não se casou com Dolly. Ele quis se casar com minha mãe porque sabia que ela era boa e que Dolly era desequilibrada e má. Mas como vocês conseguiram burlar a polícia?

— Dissemos muitas mentiras — respondeu Zélie. — Nossa esperança era que o corpo não fosse descoberto para que, mais tarde, nós o atirássemos ao mar, dando a impressão de que ela tinha caído do despenhadeiro acidentalmente. Alistair ainda disse: "É terrível o que estamos fazendo, mas, como prometi para Molly, talvez haja um jeito de salvar Dolly, se conseguirmos que ela finja ser Molly." "Como", perguntei assustada. "Dolly deverá fazer de conta que é Molly. Nós diremos que Dorothea era sonâmbula e que caiu no despenhadeiro." E foi o que fizemos. Levamos Dolly para uma cabana deserta, e eu fiquei uns dias com ela. Alistair disse às pessoas que Molly tinha sido internada em estado de choque, quando soube que a irmã Dolly tinha morrido em consequência do sonambulismo. Aí trouxemos Dolly de volta como se fosse Molly, isto é, as roupas e a peruca. Eu consegui reaver a peruca de cachos que a fazia ficar mais parecida ainda com Molly. Nossa cozinheira, a querida Janet, não enxergava bem, e as gêmeas eram realmente parecidas. Todos aceitaram a nova Molly, justificando qualquer discrepância de comportamento como resultado do choque que tinha sofrido recentemente. Tudo parecia muito natural, o que tornava a situação mais terrível.

— Mas como ela conseguia fingir? — perguntou Celia. — Ainda mais naquele estado!

— Para ela não foi difícil, porque havia conquistado o que sempre desejara: Alistair.

— E Alistair, como suportou essa situação?

— Ele me contou seus planos quando começamos a providenciar minha volta para a Suíça. Disse-me o que tinha que fazer e o que iria fazer. Foram estas suas palavras: "Só me resta fazer uma coisa. Prometi a Molly que não entregaria Dolly à polícia, que nunca revelaria que ela é uma assassina, que as crianças nunca saberiam que a mãe foi assassinada pela tia! Ninguém precisará saber que Dolly cometeu um crime. Diremos que ela saiu andando enquanto dormia, escorregou e caiu no despenhadeiro, um triste acidente. Depois enterraremos Molly aqui na igreja como se fosse Dolly." "Como você será capaz disso?", perguntei angustiada. "Você ainda não sabe o que vou fazer", respondeu-me ele. "Dolly não pode mais continuar vivendo. Se estiver próxima de alguma criança, será capaz de matá-la, e não podemos correr esse risco. Entenda, Zélie, que o que eu vou fazer é tão grave que só poderá ser compensado com a minha própria vida. Vou passar umas semanas com Dolly, fazendo de conta que é minha mulher, e então acontecerá outra tragédia." No momento não entendi o que ele queria dizer: "Outro acidente? Outra vez sonambulismo?" E ele respondeu: "Não, eu e Molly cometeremos suicídio, sem que ninguém saiba a razão. Poderão pensar que ela estava com câncer ou que eu achava que ela estava com câncer; enfim, não deixarei nada esclarecido. Mas preciso da sua ajuda, Zélie. Você é a única pessoa que me ama, que ama as crianças e que amava Molly. Dolly tem que morrer, e eu sou a pessoa que precisa matá-la; não vou assustá-la nem fazê-la sofrer. Darei um tiro nela e depois me matarei. As impressões digitais de Molly estão no revólver e ficarão misturadas às minhas. Temos que fazer justiça, e eu serei o carrasco. Quero, porém, que você saiba que eu as amava e ainda as amo, mais do que a própria vida. E tenho pena de Dolly porque ela não tem culpa de ser doente. Lembre-se sempre disto..."

Zélie levantou-se e dirigiu-se para Celia.

— Agora você sabe a verdade, apesar de eu ter prometido ao seu pai que não a contaria a ninguém. Quebrei a promessa que fiz sob juramento. O sr. Poirot me fez mudar de ideia e revelar esta história terrível.

— Sei como se sente — disse Celia. — Creio que tinha razão em calar-se, mas estou satisfeita porque tirou um peso enorme de cima de mim.

— Porque agora que nós sabemos de tudo — disse Desmond — não temos mais medo. Foi realmente uma tragédia, como disse o sr. Poirot, a tragédia de duas pessoas que se amavam e que não se mataram. Uma foi assassinada e a outra, executada, para evitar que ocorressem outras tragédias. Devemos perdoá-lo se errou, mas não acho que ele tenha cometido um erro...

— Ela sempre foi uma mulher assustadora — disse Celia. — Mesmo em criança, eu tinha medo dela, mas não sabia por quê. Agora sei. Acho que meu pai foi muito corajoso, fez o que minha mãe pediu na hora da morte. Salvou a irmã gêmea que minha mãe adorava. Gostaria de pensar, não sei se é bobagem. — Celia olhou receosa para Poirot. — Talvez o senhor não concorde comigo, pois acho que é católico, mas creio que o que está inscrito na lápide, "Nem a morte os separou", não significa que eles morreram juntos, mas que estão perto até hoje; que, depois da morte, se reuniram: um casal que se amava, e minha pobre tia, a quem eu já perdoei, apesar de ela não ter sido uma pessoa boa. Talvez a gente não possa gostar das pessoas que não são boas. Não sei se ela podia ter-se controlado ou não, mas acho que era tão doente como uma pessoa portadora de peste, a quem não podemos dar comida senão contaminaremos toda a cidade. Uma coisa assim... Vou tentar perdoá-la. Quanto a meu pai e minha mãe, não estou mais preocupada com eles. Afinal se amavam muito e quiseram proteger a infeliz Dolly.

— Acho que devemos nos casar o mais breve possível — disse Desmond. — Só posso garantir uma coisa: minha mãe nunca saberá de coisa alguma. Além de ela não ser minha mãe legítima, eu não a considero uma pessoa de confiança.

— Quanto a sua mãe, Desmond — disse Poirot —, acho que sei por que ela queria se interpor entre vocês dois e lançou a dúvida sobre Celia, acusando-a de herdar qualquer característica terrível. Talvez você não saiba, mas também não vejo razão para não lhe dizer: quando você atingir a idade de 25 anos herdará uma grande fortuna deixada por sua mãe verdadeira, que faleceu há pouco tempo.

— Quando casar com Celia, vou precisar de dinheiro — disse Desmond. — Conheço minha mãe adotiva, sei que ela adora dinheiro, pois vive me pedindo emprestado. Outro dia sugeriu que eu fosse ver um advogado, dizendo que depois dos 21 anos era muito perigoso eu andar por aí sem um testamento. Creio que ela pensou que eu ia deixar tudo para ela, e provavelmente tinha razão. Mas, agora que vou me casar, deixarei tudo para Celia... Não gostei dessa intriga contra minha noiva.

— Suas suspeitas eram certas — disse Poirot. — A sra. Burton-Cox poderá dizer que estava preocupada com o seu futuro e que a origem de Celia é um grave risco para vocês...

— Sei que estou sendo injusto — disse Desmond. — Afinal ela me adotou e educou... Pretendo separar uma quantia para ela. Celia e eu ficaremos com o resto e viveremos felizes. Apesar das tristezas do nosso passado, não precisamos mais nos preocupar, não é, Celia?

— É — respondeu Celia —, não precisamos mais nos preocupar. Meus pais eram maravilhosos. Minha mãe sempre procurou proteger a irmã, mas o caso era grave demais. Não podemos impedir as pessoas de serem o que são.

— Meus queridos filhos — disse Zélie —, perdoem chamá-los assim, mas para mim vocês serão sempre meus filhos queridos. Espero que meu longo silêncio não tenha atrapalhado demais a vida de vocês.

— Não atrapalhou, e é maravilhoso vê-la de novo — disse Celia, abraçando a antiga professora. — Sempre gostei muito de você.

— E eu também — disse Desmond. — Adorava brincar com você quando era criança.

Os jovens se voltaram para a sra. Oliver.

— Quanto à senhora — disse Desmond —, muito obrigado por tudo que fez por nós. Obrigado ao senhor também, Monsieur Poirot.

— Sim, obrigada — disse Celia. — Estou muito agradecida.

Os dois se retiraram de braços dados.

— Preciso ir também — disse Zélie, voltando-se para Poirot. — O senhor precisa falar com mais alguém sobre esse assunto?

— Só com uma pessoa, mas continuará um segredo altamente confidencial. Trata-se de um inspetor aposentado que não precisará reabrir o caso. Se ele ainda estivesse na polícia, seria diferente.

— É uma história terrível — disse a sra. Oliver. — Terrível! E todas as pessoas com quem conversei lembravam-se de alguma coisa que se tornou útil para nos levar à verdade. Mas, apesar das dificuldades, contamos com Poirot, que sempre consegue desvendar os mistérios mais complicados, sejam eles sobre perucas ou gêmeas.

Poirot dirigiu-se a Zélie, que apreciava a vista.

— Espero que não me culpe — disse ele — por tê-la feito falar.

— Não, foi até bom. O senhor tinha razão. O casal é muito simpático e parecem feitos um para o outro. Serão muito felizes, espero. Aqui estamos parados no mesmo lugar em que o casal Ravenscroft parou anos atrás. Aqui morreram, e eu não o culpo pelo que fez. Acho que teve muita coragem, mesmo se não agiu como devia.

— A senhorita o amava, não?

— Sim. Sempre. Desde que o conheci. Sempre o amei. Não sei se ele sabia. Nunca tivemos nada um com o outro. Ele confiava em mim e em Margaret.

— Gostaria de fazer uma última pergunta: ele também gostava de Dolly?

— Até o fim. Ele amou as duas. Por isso quis salvar Dolly, por isso Molly pôde pedir o que pediu. Qual das irmãs ele amou mais? Não sei. E acho que nunca saberemos. Eu nunca soube e talvez nunca saiba...

Poirot olhou para Zélie por uns momentos e depois voltou-se para a sra. Oliver.

— Precisamos voltar para Londres. Devemos voltar para o cotidiano e esquecer as tragédias e os casos amorosos.

— Os elefantes não esquecem — disse a sra. Oliver —, mas nós somos seres humanos e temos a capacidade de poder esquecer.

Sobre a autora

Agatha Christie nasceu em Torquay, cidade da Inglaterra, em 1890, e tornou-se a romancista mais vendida de todos os tempos. Escreveu oitenta romances e coletâneas de contos, além de mais de uma dúzia de peças, incluindo *A ratoeira*, peça que ficou mais tempo em cartaz na história teatral. Agatha também escreveu sua autobiografia, publicada no Brasil em 1977. Embora seu nome seja sinônimo de ficção policial, a extensão dos temas em seus romances é extraordinária, e Agatha realmente merece um lugar de destaque como uma das mais queridas escritoras de todos os tempos.

Seu sucesso permanente, ampliado pelas inúmeras adaptações para o cinema e para a tevê, é um tributo ao eterno fascínio de seus personagens e à absoluta engenhosidade de suas tramas.

Agatha Christie morreu em 1976, aos 85 anos, de causas naturais.

Surpreso com o desfecho desse mistério?

Não deixe de conferir outros desafios que
a Rainha do Crime preparou para seus detetives:

A maldição do espelho (Miss Marple)
A mansão Hollow (Hercule Poirot)
Assassinato no Expresso do Oriente (Hercule Poirot)
Cem gramas de centeio (Miss Marple)
Morte na Mesopotâmia (Hercule Poirot)
Morte no Nilo (Hercule Poirot)
Nêmesis (Miss Marple)
O mistério dos sete relógios
Os crimes ABC (Hercule Poirot)
Os trabalhos de Hércules (Hercule Poirot)
Um corpo na biblioteca (Miss Marple)

Este livro foi impresso para
a HarperCollins Brasil.
A fonte usada no miolo é Bembo, corpo 10.